SZKOŁA
ZGRYZOTY
IM. ŚW. ~~UJRZELDY~~
DLA
DZIEWCZĄT,
GEEKÓW
I NAMOLNYCH ZOMBIE

Tytuł oryginału: *St. Grizzle's School for Girls, Geeks and Tag-along Zombies*
Przekład: Marta Machałowska
Redaktor prowadząca: Agnieszka Skórzewska-Skowron
Redakcja: Marzena Kwietniewska-Talarczyk
Korekta: Katarzyna Kusojć, Monika Pruska
Projekt graficzny i DTP: Studio 3 Kolory

First published in Great Britain in 2018 by
STRIPES PUBLISHING
An imprint of the Little Tiger Group
1 Coda Studios, 189 Munster Road,
London SW6 6AW

ISBN 978-83-8154-084-1

Wydawnictwo Zielona Sowa Sp. z o.o.
00-807 Warszawa, Al. Jerozolimskie 94
tel. 22 379 85 50, fax 22 379 85 51
wydawnictwo@zielonasowa.pl

SZKOŁA
ZGRYZOTY
IM. ŚW. ~~SZPEEDY~~

DLA
DZIEWCZĄT,
GEEKÓW
I NAMOLNYCH ZOMBIE

KAREN
McCOMBIE

Ilustracje BECKA MOOR

ZIELONA SOWA

Dla Williama Baldwina i Karine

— KMcC

Dla mieszkańców Lofthouse

— BM

Wypożyczający

Nazwisko	Rok
Clementine Bunce	1921
Sybil Lemon	1947
Primrose Poppleton	1960
Hermione O'Hanrahanan	2001

Skutkiem nieoddania książki będzie natychmiastowe
zwolnienie z obowiązków ucznia.

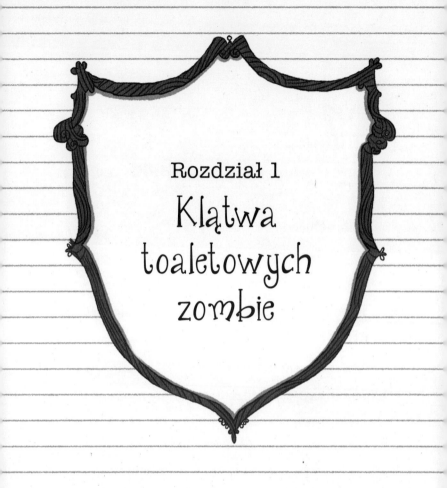

Rozdział 1

Klątwa toaletowych zombie

I tajemnicze milczenie mojego przyjaciela...

HUK!

PYK!

Ffffffftttt...

Drzwi otwierają się z głośnym **HUK!** i uderzają w ścianę.

Potem słychać głośne **PYK!**, kiedy moja jedyna współlokatorka wpada do pokoju, robiąc wielkiego balona z gumy i zostawiając za sobą na podłodze ślady wody kapiącej ze świeżo umytych włosów.

Ffffttttt... Brzmi trochę jak powietrze ulatujące z materaca, ale tak naprawdę to znużone westchnienie Czajki, połączone z wymownym przewracaniem oczami.

– Co? – pytam, patrząc na nią z dolnego łóżka, na którym siedzę.

Jest środa rano, śniadanie zaczyna się za pięć minut, a jej nagłe wtargnięcie do pokoju zaskakuje mnie w trakcie przygotowań. Czajka prawdopodobnie znacząco wzdycha i przewraca oczami na widok mnie będącej nadal w piżamie, z jedną połową włosów zaplecioną w warkocz, a drugą połową sterczącą w nieładzie.

Aha, i właśnie przypomniałam sobie, że mam szczoteczkę do zębów wetkniętą za lewe ucho.

– Dani, chyba nie oglądasz ZNOWU tego filmu, prawda? – pyta Czajka, wskazując głową na telefon, który leży na moich kolanach.

No dobrze, czyli nie chodzi o mój niedbały wygląd.

Ma na myśli filmik, który mój kumpel Arch zamieścił na naszym kanale na YouTubie w niedzielę wieczorem.

– No, tak – odpowiadam, wzruszając ramionami.

– Ile razy już go obejrzałaś? – pyta Czajka, trzaskając szufladami w poszukiwaniu ubrań.

– Nie tak dużo – kłamię.

W sumie około trzydziestu trzech razy, uświadamiam sobie, rzucając okiem na licznik na stronie YouTube'a.

Odkąd przyjechałam do Zgryzi, ja i mój kumpel Arch zazwyczaj jesteśmy w kontakcie codziennie, czasami nawet po parę razy dziennie, poprzez wiadomości albo SMS-y, albo rozmawiając na wideoczacie.

Ale przede wszystkim robimy dla siebie nawzajem głupkowate, ale zabawne filmiki, które wrzucamy na nasz kanał.

Ostatni dodałam w sobotę – to był filmik akcji w stylu Jamesa Bonda z filmu *Spectre*.

Zrobiłam minifrak z czarnej bibuły dla mojego brontozaura, potem przymocowałam dyndającego w powietrzu dinozaura do zdalnie sterowanego helikoptera należącego do Zeda, brata Czajki, używając kawałka wstążki do pakowania prezentów, którą znalazłam w sali do plastyki.

Podczas gdy ja kręciłam, Zed umiejętnie sterował helikopterem, sprawiając, że Tajny Agent Dino 007 zataczał w powietrzu kręgi, unosząc się nad poczerniałym szkolnym trawnikiem.

To było doskonałe, nawet PO TYM, jak helikopter rozbił się przy lądowaniu na wielkim rododendronie, a Czajka musiała spieszyć na ratunek Tajnemu Agentowi Dino 007, zanim szkolna maskotka, koza Miga, wkroczyła do akcji, żeby go pożreć. (W sumie to była NAJLEPSZA część).

Mój hołd dla Jamesa Bonda był odpowiedzią na filmik Archa sprzed paru dni, w którym prowadził on rozmowę ze skarpetkową pacynką.

Zorientowałam się, że ta skarpetkowa pacynka MIAŁA BYĆ mną, kiedy zobaczyłam

brązowe wełniane warkocze, które przymocował pinezkami po obu stronach głowy.

To było takie śmieszne, szczególnie kiedy inna skarpetkowa pacynka, przypominająca z wyglądu mojego psa Siada, z łoskotem wpadła w kadr i zaczęła gonić dookoła stołu pacynkę Dani.

A zrobiło się jeszcze śmieszniej, kiedy moja dawna nauczycielka, pani Solomon, pojawiła się w kadrze za Archem, mówiąc:

– No, panie Kamiński, TO mi nie wygląda na zamienianie ułamków zwykłych na dziesiętne! – I jednym sprawnym ruchem zrywając mu z rąk OBIE pacynki. (Cóż, swoją drogą, kręcenie filmiku w klasie to był raczej głupi pomysł...).

Także, no, śmieszne filmiki to nasza domena. Tylko ten ostatni filmik Archa nie jest śmieszny, ani trochę.

– Nadal ci się wydaje, że coś z nim nie tak? – pyta Czajka, wciągając T-shirt przez mokrą głowę.

– Tak jakby – odpowiadam, ob-
gryzając skórkę wokół paznokcia
i gapiąc się w ekran, i zastanawiam się, czy mam czas obejrzeć
filmik po raz trzydziesty czwarty,
zanim zejdziemy do jadalni.

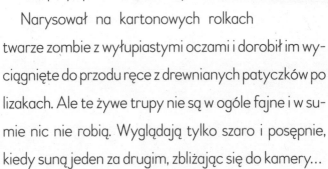

Chodzi o to, że ostatni filmik
Archa jest o zombie zrobionych
z rolek po papierze toaletowym.

Narysował na kartonowych rolkach
twarze zombie z wyłupiastymi oczami i dorobił im wy-
ciągnięte do przodu ręce z drewnianych patyczków po
lizakach. Ale te żywe trupy nie są w ogóle fajne i w sumie nic nie robią. Wyglądają tylko szaro i posępnie,
kiedy suną jeden za drugim, zbliżając się do kamery...

– Nadal brak odzewu? – pyta dalej Czajka, zapi-
nając szelki obciętych ogrodniczek.

– Nic. I to od ładnych paru dni – odpowiadam.

– To w ogóle do niego niepodobne. Zostawiłam

komentarze pod tym filmikiem, pisałam SMS-y, próbowałam dzwonić na wideoczacie, dzwoniłam na komórkę...

Robię pauzę, zastanawiając się, jak dziwnie było słyszeć radosny głos Archa, który oznajmia w nagranej wiadomości na poczcie głosowej:

– Przykro mi, nie mogę w tej chwili odebrać telefonu, bo zostałem porwany przez kosmitów!

Przez tych kosmitów i ciszę z jego strony zaczynam myśleć, że może wcale nie ma aż tak wielu powodów do radości w PRAWDZIWYM życiu.

– ...wygląda na to, że próbowałam wszystkich możliwych sposobów, żeby się z nim skontaktować – mówię dalej, bo Czajka gapi się na mnie w ten swój niepokojąco uporczywy sposób. – Wszystkich z wyjątkiem...

Urywam, bo myślę, co być może będę musiała zrobić w ostateczności.

– Z wyjątkiem czego? – pyta Czajka, prawie przewiercając mnie wzrokiem na wylot.

– Z wyjątkiem telefonu domowego – mówię i słyszę przerażenie we własnym głosie.

Problem w tym, że MUSI odebrać któreś z rodziców Archa, a oboje zaczęli się zachowywać MEGA-dziwnie w stosunku do mnie, odkąd wyjechałam niecały miesiąc temu.

Pan Kamiński, tata Archa, który zazwyczaj sypie dowcipami jak z rękawa, za każdym razem, kiedy odbiera telefon ode mnie, brzmi smętnie i samotnie, jakbym była co najmniej więźniem skazanym na dożywocie, a nie jedenastolatką, która ma spędzić rok w Szkole dla Dziewcząt imienia Świętej Gryzeldy, bo jej mama wyjechała na ekscytującą wyprawę na Antarktykę.

Pani Kamińska jest jeszcze gorsza. Słowo daję, że kiedy ze mną rozmawia, jej głos brzmi, jakby za chwilę miała zacząć łkać albo wybuchnąć płaczem. Totalnie potępia decyzję mojej mamy o wysłaniu ukochanej jedynaczki do szkoły z internatem.

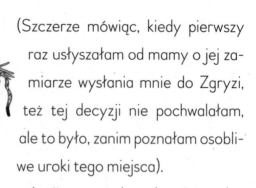

(Szczerze mówiąc, kiedy pierwszy raz usłyszałam od mamy o jej zamiarze wysłania mnie do Zgryzi, też tej decyzji nie pochwalałam, ale to było, zanim poznałam osobliwe uroki tego miejsca).

I mimo że próbowałam jej wytłumaczyć, jak tu NAPRAWDĘ jest, mam wrażenie, że pani Kamińska i tak nie wierzy, że Zgryzia nie jest sztywną i nudną, mało zabawną i pozbawioną magii wersją Hogwartu.

Żałuję, że nie może zobaczyć kamiennego pomnika świętej Gryzeldy na podjeździe przed szkołą... Dziś ma na głowie pomarańczową bożonarodzeniową koronę z papieru, przymocowaną taśmą klejącą, żeby się trzymała, a między jej dłońmi wisi, dyndając wesoło, lekko postrzępiona limonkowo-zielona skakanka.

Gdyby tylko pani Kamińska mogła poznać naszą dyrektorkę Lulu, na której służbowy strój składają się obcięte dżinsowe szorty, stary wyblakły podkoszulek i japonki z ogromnymi plastikowymi stokrotkami.

Gdyby tylko mogła zobaczyć goblina, który w tym właśnie momencie skacze na trapezie przed oknami naszej sypialni i wydziera się wniebogłosy (innymi słowy, Stokrotkę z klasy Traszek, przygotowującą się do dzisiejszych zajęć z cyrku).

Ale oczywiście zdanie państwa Kamińskich na temat mojej nowej szkoły nie jest tak ważne jak dowiedzenie się, co się dzieje z moim kumplem Archem.

Czy on rzeczywiście ma takiego doła, żeby stworzyć te ponure zombie z rolek po papierze toaletowym? Mam misję jak James (Brontozaur) Bond: dowiedzieć się, o co chodzi...

Rozdział 2

BUU!

IAAAARRRRGGHHH!

– Hej, Dani, chcesz zapoczątkować nową modę? – burczy pod nosem Czajka.

Rzucam jej spojrzenie znad listy, którą właśnie przygotowuję, żeby sprawdzić, o co jej chodzi.

Siedzi obok mnie, garbiąc się nad biurkiem, i pokazuje na moje czoło.

– Co to? – mówi szeptem Zed, wychylając się ze swojego wózka po mojej drugiej stronie.

– Ma grudkę pasty do zębów przyczepioną do brwi – mówi Czajka po cichu, żeby pani Ametyst jej nie usłyszała. Szybko wycieram zaschniętą pastę rękawem swetra. Rano, po tym, jak spędziłam STANOWCZO za dużo czasu, gapiąc się na zombie z rolek po papierze toaletowym, ubrałam się i ogarnęłam na śniadanie z prędkością światła.

Tyle że spieszyłam się tak bardzo, że kiedy naciągałam koszulkę, zapomniałam wyjąć szczoteczkę do zębów zza ucha i trochę się zamotałam.

– To znaczy, że miałam to tu przez całe śniada-nie i podczas zebrania? – syczę. – Czemu mi nie po-wiedziałaś?

– Bo śmiesznie wyglądasz? – zastanawia się gło-śno Czajka, wzruszając przy tym ramionami.

– **AAAARRRRGGHHH!**

Ja, Czajka i Zed, a nawet pani Ametyst, totalnie NIE zwracamy uwagi na mrożący krew w żyłach skowyt dobiegający z innej części szkoły.

Nie chodzi o to, że się nie przejmujemy – po prostu wiemy, że osobie wydającej z siebie ten skowyt nie dzieje się żadna krzywda. To Stokrotka, która dziś ma po prostu totalnego focha i wyje w regularnych odstępach czasu od samego porannego zebrania, od ogłoszenia przez Lulu, że dzisiejszy rozkład zajęć zostanie zmieniony z powodu Bardzo Ważnego Spotkania zaplanowanego na dziesiątą rano.

W ten sposób zamiast ogólnoszkolnych porannych zajęć z umiejętności cyrkowych wszyscy się rozdzielamy i będziemy robić inne rzeczy. Nasza klasa szósta, czyli Grzybki, będzie mieć dodatkowe zajęcia z nauk ścisłych z panią Ametyst, klasa piąta, czyli Kasztanki, i klasa czwarta, Wydry, mają iść z panną Fabienne od plastyki do lasu rysować stonogi, a babcia Viv, moja WŁASNA babcia, ma poprowadzić dla trzeciej klasy, czyli Traszek, lekcję gotowania.

Wtedy Stokrotka po raz pierwszy wydała z siebie rozdzierające **AAAARRRRGGHHH!**

Na początku myślałam, że może to Zed niechcący przejechał jej wózkiem po palcu (czasami się to zdarza) albo że Miga pobodła ją rogami (to się zdarza bardzo często), albo że źle usłyszała i myślała, że będą gotować stonogi czy coś w tym stylu (choć pewnie Stokrotka uznałaby to za świetną zabawę).

Ale kiedy się rozejrzałam dookoła, zobaczyłam...

a) Zeda, który zupełnie niewinnie zaparkował swój wózek z mojej prawej strony;

b) Migę na końcu holu, przeżuwającą coś, co wyglądało podejrzanie podobnie do nowiutkich, błyszczących ulotek reklamujących szkołę, które dopiero co zamówiła Lulu, oraz

c) Stokrotkę w nowej piżamie z napisem „Super-Grrrl" i z brokatem na twarzy, gotową na zajęcia z cyrku.

Zatem Stokrotka ewidentnie wyła, bo jej wspaniała kreacja i brokat na twarzy miały pójść na marne...

– Teraz przestań robić głupoty i zachowuj się normalnie! – usłyszała nagle nasza trójka, a pani Ametyst obruszyła się i wyprostowała na swoim miejscu.

Na szczęście nasza nauczycielka nie mówiła ani do mnie, ani do Czajki, ani do Zeda. Siedzi ze zmarszczonymi brwiami przed klasowym komputerem odmawiającym współpracy przy filmie, który chciała nam pokazać. Wydaje mi się, że mówiła, że to film o komórkach roślinnych albo falach dźwiękowych, albo o skorupie ziemskiej czy czymś w tym rodzaju.

Tak naprawdę to słuchałam jej jednym uchem, bo byłam zajęta myśleniem o tych zombie z rolek papieru i zamartwianiem się, co się dzieje u Archa.

Poza krótką przerwą, kiedy dowiedziałam się o upapranej pastą brwi, byłam zajęta skrobaniem

Listy Rzeczy do Zrobienia w związku z moją misją, choć jest w sumie trochę do bani...

PLAN MISJI
- ~~Napisać do Archa~~ *to już zrobione*
- ~~Zostawić wiadomość~~ *to też*
- ~~Wysłać mu maila~~ *zrobione mnóstwo razy*
- ~~Wrzucać komentarze na YouTube'a~~
  to też zrobione
- ~~Zadzwonić na telefon domowy~~ *eee, nie chcę...*

Podczas gdy pani Ametyst jest zajęta walką z opornym oprogramowaniem, gniotę kartkę z moim bezużytecznym planem.

– To co zamierzasz zrobić, żeby dotrzeć do Archa, Dani? – pyta Zed.

– Zamierza zadzwonić do niego do domu, TO zamierza – mówi Czajka, wyciągając rękę po mój telefon, który leży na ławce.

– Nie! Nie waż się! – szepczę, wyrywając jej telefon.

– Hej, mam pomysł! A jakbyś zrobiła taki filmik, że Arch nie będzie mógł się OPRZEĆ, żeby go nie skomentować? – podpowiada Zed.

– Może… – mamroczę pod nosem i zaczynam przeglądać w telefonie zdjęcia mojego najlepszego kumpla, bo tak strasznie mi go brakuje.

Problem w tym, że mój mózg jest wykończony tym martwieniem się. Jeśli nie mogę nawet wymyślić porządnego planu mojej misji, to jak mam znaleźć inspirację do nowego filmu?

– Hej, kto to jest? – szepcze Zed, przysuwając się bliżej. Czajka też się pochyla, żeby lepiej widzieć.

– No, to przecież Arch – odszeptuję. Na ekranie widać zdjęcie mojego kumpla przed kąpieliskiem, na które chodził pływać w zeszłe wakacje.

– Niemożliwe! Wygląda całkiem inaczej! – odpowiada Czajka tak zdziwiona, że prawie zapomina o mówieniu szeptem.

Czajka i Zed widzieli Archa do tej pory PRAWIE milion razy, na filmikach, które mi wysyła i czasami podczas naszych wideoczatów. Ale nigdy nie widzieli go tak.

– Hej, Arch nie ma na sobie bejsbolówki! – mówi Zed, nagle zdając sobie sprawę, w czym tkwi różnica. – On zawsze nosi bejsbolówkę, nie?

Gapię się na zdjęcie, na zdumiony wyraz twarzy Archa i jego krótkie jasne włosy z przydługą grzywką opadającą mu na czoło.

– Próbował ją nosić nawet na basenie – mówię poruszona nagłym przypływem wspomnień. – Ale za każdym razem, gdy wskakiwał do wody, czapka mu spadała...

– Arch wygląda totalnie ŹLE bez tej czapki. To tak, jakby widzieć Letę bez mundurka albo panią Ametyst noszącą coś, co nie jest fioletowe – mówi Czajka.

Leta z klasy Kasztanków jest jedyną osobą w szkole, która nadal nosi staromodny mundurek, jaki miały początkowo nosić wszystkie dziewczynki w czasach, kiedy Święta Gryzelda była poważną, szanowaną szkołą. Nawet gdy Lulu sugeruje jej delikatnie, że nie musi tego robić, i macha jej przed nosem wygodnymi getrami.

A pani Ametyst? Cóż, spoglądam na nią szybko i widzę, że ma na sobie swój typowy zestaw, składający się z wielu warstw w odcieniach malwowym, fioletowym i liliowym. Tylko jej twarz przełamuje tę monotonię barw – w tym momencie jest jaskrawo-różowa z poirytowania.

Och, jeśli już o twarzach mowa, to w przeszklonych drzwiach klasy pojawiają się nagle Toshio i jego nieodłączne słuchawki założone na szyję. Toshio to japoński student, którego Lulu miała uczyć angielskiego, w zamian za co wykonywał tymczasowo obowiązki szkolnego recepcjonisty... Tyle że Lulu nigdy nie ma czasu na tę naukę, co daje Toshiowi możliwość zajęcia się sobą. Najczęściej słucha głośnej muzyki albo gra w gry komputerowe w szkolnym biurze. W każdym razie, choć on sam wydaje się zadowolony ze swojej sytuacji, jego brak umiejętności językowych powoduje, że osoby kontaktujące się ze szkołą mogą mieć poważne trudności z uzyskaniem jakiejkolwiek sensownej informacji.

W zeszłym tygodniu przyjechał pan z nowymi ulotkami szkoły. Tylko że Toshio nigdy wcześniej nie słyszał słowa „ulotka" i za każdym razem, gdy próbował powtórzyć „ulidka", robił to w coraz śmieszniejszy sposób. W końcu śmiał się tak, że nie był w stanie podpisać formularza potwierdzenia odbioru i jedna

z dziewięcioletnich trojaczek z klasy Wydr musiała to zrobić za niego.

– Cześć – mówi teraz Toshio, otwierając drzwi i kłaniając się grzecznie pani Ametyst. – Lulu mówi, że Grzybki muszą przyjść, proszę.

– Och, no dobrze, idźcie w takim razie, moi drodzy – mówi pani Ametyst, przeczesując znużonym gestem zafarbowane na lawendowy kolor włosy i wpatrując się w komputer takim wzrokiem, jakby chciała go rozwalić cegłą.

I tak oto nasza trójka, tworząca klasę Grzybków, rusza za Toshiem korytarzem. Japonki Czajki klapią po chłodnych płytkach, wózek Zeda popiskuje jak rapująca mysz, a moje bose stopy nie wydają żadnego dźwięku.

– To czego nasza mama od nas chce? – Zed pyta Toshia. Kiedy Zed mówi „nasza mama", nie ma oczywiście na myśli mnie, bo MOJA mama aktualnie bada pingwinie zadki na Antarktyce (z powodów NAUKOWYCH, a nie dla zabawy). Lulu jest nie tylko dyrektorką, ale również mamą Czajki i Zeda, i TYLKO dlatego Zed może przebywać w Szkole dla Dziewcząt imienia Świętej Gryzeldy, z czego jest zresztą bardzo dumny.

Ale w odpowiedzi na pytanie Zeda Toshio odwraca się do nas i mówi tylko jedno słowo:

– BUU!

Hę...?

– **BUU!** – powtarza trochę głośniej.

Ja, Czajka i Zed wymieniamy skonsternowane spojrzenia.

Ale nie mamy czasu, żeby ponownie zadać Toshiemu pytanie, tak żeby tym razem zrozumiał, bo jesteśmy już w ogromnym holu przy wejściu do szkoły, w którym rozlega się dochodzący nie wiadomo skąd OKROPNY hałas.

AAAARRRGGHHH!

Szybko rzucam okiem na elegancką klatkę schodową prowadzącą na pierwsze piętro – nie ma tam śladu dzieci, kóz ani krzykaczy.

Gdy patrzę w drugą stronę, dostrzegam światło wpadające tu przez otwarte podwójne drzwi wejściowe. Stoi tam odwrócona do nas plecami Lulu i rozmawia z elegancko ubraną parą. Żadne z nich nie wydaje się krzyczeć.

AAAARRRGGHHH!

Okej, czyli krzyk dochodzi z wejścia po drugiej stronie korytarza, znajdującego się na wprost przed nami.

AAAARRRGGHHH!

Czy kogoś mordują w jadalni?

– Nie ruszaj się, kochanie! – słyszę głos babci Viv.

– To tylko mąka, Stokrotko. Popatrz, można ją zetrzeć ściereczką. Widzisz?

– Bardzo przepraszam – słyszymy teraz, jak Lulu nienaturalnie ożywionym głosem rozmawia z elegancką parą. – Jedna z dziewczynek z klasy Traszek powiedziała mi, że naszej szkolnej superbohaterce wylała się na kostium połowa składników i trochę ją to wyprowadziło z równowagi!

Ja, Czajka i Zed wyciągamy głowy jak surykatki, żeby zobaczyć, z kim rozmawia Lulu. Toshio w ogóle nie jest zainteresowany – zakłada tylko słuchawki i wlecze się z powrotem na recepcję. Domyślam się, że już ich widział i ma ochotę jedynie wrócić do swojej ~~muzyki i gier komputerowych~~ pracy.

Po cichu skradam się trochę bliżej wejścia i widzę, że mężczyzna, który rozmawia z Lulu, ma zmierzwiony obłok czarnych włosów okalający łysy, świecący czubek głowy, a kobieta ma taki wyraz twarzy, jaki

może mieć ktoś, komu macha się przed nosem nie-
świeżą rybą.

– W każdym razie szerokiej drogi i udanej trasy
koncertowej. – Lulu szybko zmienia temat, bo sno-
bistycznie wyglądającej pary stojącej nadal na
schodach wcale nie rozbawił jej komentarz na temat Stokrotki. – Proszę się nie przejmować naszą
małą podopieczną, jest w dobrych rękach.

– Och, ależ wcale się nie przejmujemy – odpowiada kobieta, a mężczyzna tylko przytakuje głową.
– Nasza córka jest niezwykle inteligentna i wycho-

waliśmy ją na niezależną dziewczynkę. Nic jej nie będzie, nie mamy co do tego żadnych wątpliwości.

Ja, Czajka i Zed wymieniamy pytające spojrzenia spod zmarszczonych brwi.

– Kolejna uczennica? – pyta szeptem Zed.

– Chyba tak – odpowiada Czajka. – Hej, Dani Dexter, nie będziesz już tą nową!

Mrugam do Czajki i szczerzę zęby w uśmiechu. Jeśli dojdzie kolejna dziewczynka, liczba uczniów w Gryzce osiągnie magiczny pułap dwudziestu jeden osób!

– Cóż, musimy już iść, bo spóźnimy się na samolot – mówi mężczyzna rzeczowo. – Odlatuje za... O kurczaki! Co robi koza na dachu naszego samochodu?!

– Och, to tylko Miga! Proszę zatrąbić klaksonem, jak pan wsiądzie do auta, to zeskoczy – mówi Lulu pogodnie, podczas gdy rodzice dziewczynki ostrożnie zbliżają się do dużego czarnego samochodu stojącego na podjeździe.

Miga całkiem nieźle urządziła się na dachu i lekko trąca antenę.

– Do widzenia! – krzyczy Lulu i macha, potem odwraca się z szerokim uśmiechem Kota z Cheshire na twarzy. – Och, cześć, moja gromadko!

– Co się dzieje, mamo? – pyta Zed.

Lulu wygląda na tak zadowoloną, że zastanawiam się, czy zaraz nie zacznie stepować w miejscu z radości.

Bez wątpienia poprzednia wersja Świętej Gryzeldy gościła w swoich murach więcej uczniów, ale jak tylko Lulu zmieniła jej styl ze staroświeckiego i sztywnego na megasuperfajny, prawie wszyscy rodzice zrezygnowali i zabrali swoje córki do innych szkół.

Uczennica, która tu PRZYJEŻDŻA, zamiast WYJEŻDŻAĆ, musi być dla Lulu miłą niespodzianką.

– Chodźcie ze mną, chcę, żebyście kogoś poznali! – mówi Lulu i prowadzi nas do swojego gabinetu, przechodząc cały korytarz i mijając jadalnię.

(Po drodze zaglądam do jadalni i widzę superbohaterkę, która stoi nadąsana ze skrzyżowanymi ramionami i wysuniętą wargą, podczas gdy babcia Viv robi śmieszne miny, starając się ją rozśmieszyć).

– A więc to Bardzo Ważne Spotkanie miałaś na myśli wczoraj? Dlaczego nam nie powiedziałaś? – pyta Czajka i wydaje się obrażona, że Lulu trzymała w tajemnicy przyjazd nowej dziewczynki.

– Kochanie, nawet nie wiedziałam, że będziemy dziś mieć nową uczennicę! – odpowiada Lulu, posyłając nam przez ramię rozbawione spojrzenie.

– Myślałam, że państwo Featherton-Snipe przyjadą tylko porozmawiać i obejrzeć naszą szkołę. Nie miałam pojęcia, że tak im się spodobała nasza nowa ulotka, że postanowili od razu zostawić u nas swoją córkę, tak po prostu! Ale oto i urocza – Lulu wpada z otwartymi ramionami do swojego gabinetu – Budyka!

Bu-dy-ka.

Buu!

BUU!

A więc TO przed chwilą chciał powiedzieć Toshio (bez powodzenia).

W sumie to trudno mu się dziwić, że nie potrafił tego wymówić. Ja sama słyszałam przedtem imię Budyka, ale to tylko dlatego, że w mojej dawnej szkole mieliśmy o niej lekcję. Dowiedzieliśmy się, że była dumną i wojowniczą brytyjską królową tysiące lat temu. Gdyby Toshio kazał mi wymówić imię jakiejś srogiej japońskiej cesarzowej żyjącej tysiące lat temu, założę się, że język zaplątałby mi się na supeł.

Ale w każdym razie oto TA Budyka.

I TA Budyka jest malutką dziewczynką, która totalnie utonęła w ogromnych, przypominających dmuchane fasolki poduchach w gabinecie Lulu. Na ramiona opadają jej kaskady falujących włosów i ma nóżki chude jak patyczki.

Zupełnie nie wygląda jak wojownicza królowa.

Raczej sprawia wrażenie dzieciaka, który się zastanawia, dlaczego...

a) dyrektorka ma w gabinecie dmuchane poduchy zamiast porządnych krzeseł,

b) na ścianie są namalowane sprayem tukany i flamingi,

c) na DRUGIEJ poduszce chrapie wielki pies.

(Odpowiedzi na te pytania brzmią następująco: Lulu uważa, że poduchy są bardziej relaksujące; Czajka je tam namalowała; Siad jest moim psem – on i babcia Viv przyjechali do Zgryzki jakiś tydzień temu, żeby sprawdzić, czy wszystko u mnie w porządku, i już nie wyjechali).

– Budyka ma osiem lat i dołączy do klasy Traszek – mówi Lulu. – Budyko, oto Czajka, Zed i Dani, którzy są najstarszymi uczniami w naszej szkole. Chodzą do klasy Grzybków.

Budyka patrzy na nas dość bezmyślnie wielkimi szarymi oczami, gdy uśmiechamy się do niej i machamy do niej rękami na powitanie. Obok niej stoi walizka, która jest praktycznie większa od niej, jak również coś, co wygląda jak futerał na skrzypce.

– Zajmą się tobą – mówi Lulu radośnie, próbując przerwać niezręczne milczenie. – Prawda?

– Hm, tak! – odpowiadam szybko.

– Yhy! – potwierdza Czajka, wzruszając ramionami.

– Zdecydowanie! – dodaje Zed.

Budyka gapi się na nas jeszcze trochę i wydaje się zapadać głębiej w poduchę, jakby pochłaniały ją ruchome piaski.

– Tak więc... Pomyślałam, że moglibyśmy zorganizować miłe spotkanie zapoznawcze w holu, może przed obiadem – mówi dalej Lulu, wyciągając rękę do nowej dziewczynki i pomagając jej wstać z siedzenia. – Ale może we troje pokazalibyście szybko Budyce szkołę, zanim wszystkich tam zgromadzę? Możecie na razie zostawić tu bagaże.

– Jasne – odpowiadam, kiedy Budyka bez słowa podchodzi do nas, gapiąc się nadal tymi wielkimi pustymi oczami.

Wiecie, trochę mi kogoś przypomina, ale nie mam pojęcia kogo.

– I jeszcze, Budyko, obiecuję ci, że będziesz tu w Gryzeldzie świetnie się bawić! – woła za nami Lulu.

Budyka się nie uśmiecha ani nic nie mówi. Idzie tylko za mną, Czajką i Zedem korytarzem, patrząc prosto przed siebie.

– Wiem, że trudno jest opuszczać rodziców – mówię moim najbardziej przyjacielskim głosem, myśląc, że ta mała dziewczynka na patykowatych nóżkach z zasłoną z włosów jest po prostu nieśmiała i smutna.

– Ale niedługo się przyzwyczaisz. Ja tu jestem od niedawna i kocham to miejsce. Bo tak jak mówi Lulu, w Gryzce jest świetna zabawa.

Budyka patrzy prosto na mnie z trudnym do odszyfrowania wyrazem twarzy, ale nie wydaje się szczególnie nieśmiała ani smutna.

Hmm. Coś mi mówi, że opiekowanie się tą dziwną dziewczynką będzie totalnym PRZECIWIEŃSTWEM świetnej zabawy. Bardziej jak...

AAAARRRRGGHHH!

Gdzieś niedaleko rozlega się wycie Stokrotki.

„No właśnie" – myślę sobie...

Rozdział 3

Poznawanie cię...
albo i nie

I super-
ekspresowe
oprowadzanie
po szkole...

Po dziesięciu minutach naszej wycieczki po szkole Budyka zmieniła się całkowicie i zrobiła się nagle miła i rozmowna.

OTÓŻ NIE.

Na parterze pokazaliśmy jej hol, klasy, kuchnię i jadalnię oraz piękny rozległy trawnik z widocznym w oddali lasem, a także osobny pokój Zeda obok gabinetu Lulu, który dzieli tylko z Migą.

Przez cały ten czas ona nie powiedziała nic, nawet wtedy, gdy weszliśmy do pokoju Zeda, gdzie zastaliśmy Migę z łbem w szufladzie w trakcie pożerania jego ulubionych majtek z *Gwiezdnymi wojnami*.

Jesteśmy teraz na dole klatki schodowej i zaraz mamy iść na górę obejrzeć sypialnie na pierwszym piętrze.

– Okej, przepraszam, ale tej części ci nie pokażę – mówi Zed i zanim zdążymy się odezwać, odwraca wózek i odjeżdża w przeciwnym kierunku, znikając w głębi korytarza.

A oto kilka informacji o Zedzie. Zed jest:

- miły, zabawny i trochę nieśmiały,
- dobry w żonglowaniu,
- świetny w pomaganiu młodszym Zgryzkom z pracą domową,
- uzdolniony, jeśli chodzi o robienie różnych sztuczek na wózku,
- zawsze pogodny i bardzo rzadko okazuje MALUTKIE oznaki zniecierpliwienia, kiedy wózek powstrzymuje go od robienia rzeczy takich jak włóczenie się po lesie za szkołą (za dużo tam wystających korzeni) albo siedzenie na górze z resztą (za dużo stopni i brak windy).

Ale w tym momencie Zed wydaje się wcale nie przejmować tym, że jest zmuszony zostać na parterze i że ominie go dalsze oprowadzanie Budyki. Widać po nim wyraźną ulgę – i wcale mu się nie dziwię. Nie wiedziałam, jak męczące może być prowadzenie jednostronnej rozmowy. Czajka też się stresuje i odreagowuje napięcie, żując gumę i robiąc balony z superprędkością.

Skoro jesteśmy przy superprędkości...

– Chodź! – Staram się zachować pogodę ducha i przyspieszam, przeskakując po dwa stopnie naraz. Musimy jak najszybciej zakończyć tę farsę, zanim zabraknie mi słów albo Czajka zrobi balona, który pęknie za szybko i pokryję jej twarz balonową maską. Na szczęście Czajka zdaje się czytać w moich myślach i dotrzymuje mi kroku. A nasza nowa Traszka depcze nam po piętach.

– A TO jest sypialnia Kasztanków – oznajmia Czajka, praktycznie podbiegając do pierwszego pomieszczenia po naszej lewej stronie.

Z rozmachem otwiera drzwi, a Budyka zagląda do środka dużego pokoju, który należy do Lety, Klary,

Angeli i Mai-Belli. Podobnie jak w pozostałych sypialniach, jest w nim masa wolnych łóżek jeszcze z czasów, kiedy w Zgryzi było więcej uczennic. Ale za to, nie muszą dzielić przestrzeni z innymi osobami, dziewczynki z grupy Kasztanków mają większe pole do popisu, jeśli chodzi o dekorowanie ścian. Wszędzie wiszą dość przypadkowe plakaty Taylor Swift, jednorożców, bollywoodzkich gwiazd filmowych i gotyckich zespołów o tak uroczych nazwach jak Mrok i Blaaaa (Kasztanki mają BARDZO różne gusta).

Budyka nic nie mówi, więc przechodzimy do kolejnego pomieszczenia.

– To jest sypialnia Wydr – oznajmiam.

Pomiędzy pustymi łóżkami Budyka dostrzega trzy ustawione obok siebie łóżka z identyczną pościelą w gwiazdki i trzema identycznymi zdjęciami

przedstawiającymi uśmiechniętych rodziców trojaczek, stojącymi w ramkach na nocnych stolikach.

Budyka nadal milczy.

– Twoja sypialnia jest tam – mówi Czajka, prze-
mieszczając się ekspresowo w odległy przeciwny
koniec korytarza.

Drzwi, przed którymi się zatrzymuje, są całkowicie pokryte niechlujnymi, rozmazanymi odciskami
dwudziestu dłoni zanurzonych w różnokolorowych
farbach. Powyżej znajduje się napis obwieszczający
światu:

Terytorium Traszek.
Śmierć Intrózom!!!

Rzucam szybkie spojrzenie na Budykę, żeby wybadać jej reakcję, ale oczywiście trudno odgadnąć, o czym myśli, kiedy zagląda do środka... Sypialnia Traszek jak zwykle wygląda tak, jakby przeszło tędy tornado. Podłoga jest pokryta dywanem złożonym z brudnych skarpetek, starych sznurkowych bransoletek, gałązek, liści, niedokończonych prac artystycznych, piórek i papierków po cukierkach.

– Wiem, że jest tu straszny bałagan, ale na obronę Traszek mogę powiedzieć, że nikt nie wiedział, że dziś przyjedziesz – mówi Czajka. – Powiemy dziewczynkom, żeby posprzątały.

– Hej, co powiesz na to łóżko w rogu? – dodaję, przelatując wzrokiem rzędy wolnych łóżek zawalonych po sufit jakimiś szpulkami. – Nikt na nim nie śpi!

To OCZYWISTE, że nikt na nim nie śpi. Łóżko, które mam na myśli, jest w tej chwili ukryte pod stosami prześcieradeł i ręczników pospinanych klamerkami do bielizny, nad którymi góruje odręcznie

narysowana na kawałku kartonu piracka flaga, niechlujnie przymocowana sznurkiem do długiej, cien-
kiej gałęzi.

Budyka nadal nic nie mówi.

Westchnienie

Hmm, wiem, że trojaczki z klasy Wydr bywają
czasami cicho, ale często też chichoczą między
sobą, co świadczy o tym, że mimo wszystko żyją.
A Budyka, jak do tej pory, zdaje się mieć w sobie
mniej życia niż stojący niewzruszenie na swoim ka-
miennym cokole przed szkołą pomnik świętej Gryzeldy...

PUK! – pęka z hukiem kolejny balon, a Czajka
pokazuje głową w kierunku drzwi po drugiej stronie
korytarza.

– Okej, ostatni punkt zwiedzania to nasz pokój,
mój i Dani – zwraca się do Budyki, pokazując jej gestem, żeby szła za nami. Czajka już wkłada klucz do
zamka w drzwiach naszej sypialni. Ja też mam własny

klucz... to jedyny sposób, żeby powstrzymać Trasz-ki przed wtargnięciem tu i używaniem naszej prywatnej przestrzeni do trochę niebezpiecznych zabaw, które same wymyśliły, w stylu skakania na górnym łóżku jak na trampolinie albo zabawy w chowanego z robieniem na koniec stosu z żywych ludzi, przy akompaniamencie wrzasków i krzyków.

Kiedy Budyka bez słowa wchodzi do pokoju, nie spodziewam się po niej niczego nowego, mimo że na ścianie obok mojego łóżka znajduje się najbardziej odlotowy mural T. rexa, który namalowała dla mnie Czajka w ramach powitalnego prezentu od Zgryzi. (Cóż, gwoli ścisłości dodam, że był to zarazem prezent powitalny i rekompensata za niezbyt miłe zachowanie na początku naszej znajomości, a także forma przeprosin za to, że pozwoliła Midze pożreć mojego T. rexa...).

Oczywiście Budyka tylko patrzy na mural i odwraca się, jakby oglądanie dinozaurów było najnudniejszą rzeczą NA ŚWIECIE.

Potem kieruje spojrzenie swoich wielkich szarych oczu na chmarę kolorowych ptaków na ścianie za górnym łóżkiem Czajki. Mogłabym przysiąc, że za każdym razem, gdy tam patrzę, jest ich coraz więcej.

– Podobają mi się.

– Co powiedziałaś? – mówi Czajka, pochylając się do Budyki, jakby nie dosłyszała.

Jednak Budyka nie zdążyła już powtórzyć swojego cichutko wyszeptanego zdania, bo na zewnątrz rozlega się dziki hałas biegnących korytarzem stóp.

Stokrotka WPADA do pokoju, wykonuje parę obrotów w miejscu, a potem nagle zastyga w bezruchu, trochę się przy tym chwiejąc, w pozie, która jeśli dobrze ROZUMIEM, ma przypominać superbohatera.

– Tak? Możemy ci jakoś pomóc? – pytam, stwierdzając z ulgą, że nasza superbohaterka wydaje się być w dużo mniej rozwrzeszczanym nastroju niż wcześniej. Po wiele mówiących okruchach, jakie ma na buzi, mogę sądzić, że babcia Viv przekupiła Stokrotkę za pomocą słodkiej łapówki w postaci babeczek. Rzeczywiście, Stokrotka trzyma w ręku babeczkę.

– Lulu mówi, że macie TERAZ zejść do holu, bo wszyscy tam już są – mówi Stokrotka, wracając do swojej normalnej pozy. – I PROSZĘ, to dla CIEBIE! – Stokrotka podaje Budyce babeczkę, a ta gapi się na nią, jakby to była kanapka z robakami zamiast sera.

Może to dlatego, że z technicznego punktu widzenia to tylko POŁOWA babeczki z ewidentnym śladem ugryzienia, który nieco psuje wrażenie.

– Nie, dziękuję – mamrocze Budyka pod nosem cichutko jak myszka, cofając się z obrzydzeniem, chociaż jej twarz jak zwykle pozostaje niewzruszona.

Stokrotka głośno przełyka ślinę i wygląda na niebezpiecznie bliską wybuchnięcia płaczem w związku z odrzuceniem podarunku.

Może i jest trochę goblinem, ale jest też w sumie kochaną dziewczynką...

– Może Budyka jadła obiad w drodze i nie jest głodna – wtrącam się szybko. – Ale **ja** bym chętnie zjadła.

Stokrotka natychmiast się rozchmurza i wręcza mi połowę babeczki.

– Popatrz, ozdobiłam ją ślicznym LISTKIEM! – mówi z dumą.

– Mmm – mruczę pod nosem, żałując, że to nie ozdobny listek z masy cukrowej, ale prawdziwy liść z ogrodu, z dodatkiem prawdziwej MRÓWKI. – Zostawię go sobie na później...

– Dobra, chodźmy – mówi Czajka zdecydowanym tonem. – Wszyscy czekają na dole.

To powiedziawszy, wygania nas wszystkie z sypialni i zamyka drzwi. Kiedy idziemy w stronę schodów, widzę, jak Budyka gapi się na wijące się do góry schody, prowadzące na ostatnie piętro.

– Pani Ametyst, panna Fabienne i moja babcia Viv mają tam swoje pokoje – mówię jej.

– Tak, a w dawniejszych czasach, zanim tu powstała szkoła, były tam pomieszczenia służbowe – dodaje Czajka, która właśnie do nas dołączyła.

– To dlatego pokoje tam są mniejsze i bardziej przytulne niż reszta budynku.

– Są tam też CELE WIĘŹNIÓW! – mówi Stokrotka z szeroko otwartymi z podniecenia oczami.

– Mówiłam ci już wcześniej, że były tam tylko schowki – ucina zdecydowanie Czajka. – Służba trzymała tam takie rzeczy jak pościel, ręczniki, świeczniki i...

– WIĘŹNIÓW! – wtrąca rozradowana Stokrotka i zbiega ze schodów.

Budyka ani drgnie.

Nadal gapi się na schody. Nagle dostrzegam, co tak przykuło jej uwagę...

Okej, czyli nie była AŻ TAK zaintrygowana opisem drugiego piętra. Wpatrywała się cały czas w Siada, który rozłożył się w najlepsze na całej szerokości wypolerowanego, drewnianego podestu, lekko pochrapując.

– Czy to jest kolejny pies?

– Co? Nie, to ten sam, którego widziałaś w gabinecie Lulu. On po prostu łazi wszędzie, jak Miga – tłumaczę jej. – Chodź, Siad, przywitaj się z Budyką!

Na dźwięk swojego imienia Siad budzi się, skacze na cztery łapy i gramoli się ze schodów w naszym kierunku.

Oj, to nie był dobry pomysł – Budyka cofa się, gdy tylko Siad znajduje się na wyciągnięcie dłoni.

– Nie lubię psów. Zwierzęta są brudne. Mają zarazki.

Patrzę na mojego kochanego Siada i czuję się trochę urażona. Jak można nie lubić tego uśmiechniętego pyska? I wcale NIE JEST brudny.

A w każdym razie na pewno nie w porównaniu z takimi na przykład Traszkami...

– Ludzie też mają zarazki. A niektóre zarazki, jak na przykład bakterie, mogą też być pożyteczne – mówi Czajka, kładąc rękę na plecach Budyki i popychając ją lekko w kierunku schodów. – Będziesz się o tym uczyć na lekcjach przyrody z panią Ametyst.

Idę z tyłu, nadal trochę urażona tym, jak potraktowano mojego psa. Siad zostaje tam, gdzie był, radośnie drapiąc się za uchem. (Mam nadzieję, że nie ma znów pcheł).

– Tu jesteście! Chodźcie do nas! – woła nas Lulu, kiedy w końcu pojawiamy się w holu.

Och! Wszyscy – uczniowie i kadra nauczycielska – siedzą w kręgu na podłodze. Oprócz Zeda, znaczy się; on siedzi na swoim wózku, trzymając piłkę z uśmiechniętą okrągłą rybką.

– Zróbcie miejsce dla Dani, Czajki i Budyki – zarządza pogodnym głosem Lulu.

Trojaczki przyciskają się jedna do drugiej, robiąc nam miejsce. Stokrotka natomiast zostawia tyle miejsca, ile może, żeby nie siedzieć obok nowej dziewczynki. Myślę, że nadal jest urażona reakcją Budyki na jej prezent.

– Zagramy w grę zapoznawczą – mówi Lulu. – Gra się tak: kiedy piłka z *Gdzie jest Nemo?* leci w twoją stronę, musisz się przedstawić i powiedzieć coś ciekawego o sobie. A potem rzucić piłkę do kolejnej osoby. Jasne? Zed, możesz zacząć?

Zed przytakuje, dumny z tego, że powierzono mu tak odpowiedzialną rolę, i mówi:

– Jestem Zed Chen-Murphy i umiem dotknąć językiem nosa.

Jestem pod wrażeniem, szczególnie tego, jakiego robi przy tym zeza.

Zresztą każdy jest pod wrażeniem i Zed dostaje brawa od wszystkich z wyjątkiem Budyki.

Rozpromieniony Zed wydaje się nie pamiętać przez moment o podaniu piłki. W tej chwili orientuję się, że ta zabawa, która ma służyć głównie Budyce, mnie też się przyda. Znam Kasztanki i kumpluję się z nimi, dużo czasu spędzając z Angelą, Klarą, Letą i Mają.

Ale Traszki... Słyszałam wiele razy imiona wszystkich dziesięciu Traszek, ale nie potrafię ich rozróżnić (oprócz Stokrotki), ponieważ zazwyczaj poruszają się po szkole jako szybko przemieszczająca się, pokryta błotem plama.

Jeśli chodzi o trojaczki, dopiero niedawno odkryłam ich imiona, kiedy zobaczyłam je na specjalnych plakietkach przyszytych przez babcię Viv do ich ubrań: Fela, Hela i Mela. Czajka mówi, że ich imiona są tak do siebie podobne, że nikt ich nie używa. Łącznie z samymi trojaczkami.

Ale skoro już siedzimy w kręgu, postaram się skupić i zapamiętać, jak się nazywa każda Traszka i Wydra. Och, Zed nagle przypomniał sobie, co ma zrobić z piłką, i Nemo leci teraz z ogonem skierowanym do góry prosto w MOIM kierunku.

– Eee, jestem Dani Dexter... – mamroczę pod nosem, złapawszy piłkę, i zacinam się.

Co ciekawego mogę o sobie powiedzieć?

Że moja mama jest zoolożką i pracuje na biegunie południowym?

Czy że moja babcia jest cudowna i zwariowana? I że znalazła się w Zgryzce, bo ŚLEDZIŁA mnie, dopóki Lulu jej nie nakryła, i ostatecznie poprosiła babcię, żeby została z nami?

Czy może powinnam powiedzieć, że jestem naprawdę bardzo, bardzo dobra w robieniu filmików i że to między innymi dzięki mnie w tamtym tygodniu wygraliśmy konkurs na najlepszy filmik krótkometrażowy?

GUL

Przez ostatnie pół godziny TAK byłam pochłonięta zajmowaniem się tą dziwną małą Budyką, że sprawa z Archem na chwilę wypadła mi z głowy. Ale na samo wspomnienie filmików jego twarz z zabawnym grymasem nagle znów pojawia mi się przed oczami. Czuję znajomy skurcz w żołądku i oczy zaczynają mnie piec. Zanim ktokolwiek zdąży się zorientować, że nagle zbierają się nich łzy, zaczynam

szybko mrugać i mówię pierwszą rzecz, która mi przychodzi do głowy:

– ...i cieszę się, że nie jestem już tą nową – mówię szybko i celowo rzucam piłkę do Budyki.

Budyka, która siedzi ze skrzyżowanymi nogami i rękami opartymi na kolanach, patrzy, jak piłka z niebieską rybką toczy się powoli w jej kierunku... i jak przelatuje koło niej, i wpada prosto w pysk Siada, który tylko na to czeka.

Budyka wzdryga się, kiedy go widzi, jakby był wielkim przypominającym kształtem psa zarazkiem grypy. A Siad oczywiście chwyta nagrodę i z prędkością błyskawicy wybiega z pomieszczenia.

Z korytarza da się słyszeć głośne, niezadowolone „Meee!", które, jak się domyślam, wydała z siebie Miga, zobaczywszy łup Siada.

Po czym do naszych uszu dochodzą zmieszane odgłosy warczenia i meczenia, znak, że na korytarzu toczy się włochata bitwa o posiadanie Nemo...

– No, to była fajna zabawa! – mówi Lulu, starając się zachować optymizm, mimo że nasza sesja zapoznawcza zakończyła się totalną porażką i trwała dokładnie półtorej minuty. – To co, może zjemy wcześniej obiad?

Na dźwięk słowa „obiad" wszyscy się ożywiają i skaczą na równe nogi. Poza Budyką, która siedzi nadal po turecku na podłodze, patrząc w ciszy, jak wszyscy wychodzą gęsiego.

I oprócz mnie, bo właśnie poczułam, jak telefon zaczął mi wibrować w kieszeni.

Czy to Arch?

W KOŃCU???

Rozdział 4

Nagroda dla Supermaniaka Nauki w Świętej Zgryzi

I tęskny wiersz od mamy...

Wiersz o biegunie południowym

Kiedy budzę się co rano,
Sama wprost nie wierzę w to,
Że jestem w tej pięknej mroźnej krainie,
Gdzie wszędzie dookoła są pingwiny.

Światło jest jak kryształ czyste,
A niebo jasnoniebieskie.
A jedyne, czego brak mi
W tym raju na ziemi, to TY!

Ściski i całusy, Mama xxx

Czyli wiadomość, która pikała mi wcześniej w telefonie, kiedy byliśmy w holu, NIE BYŁA od Archa, na co w duchu liczyłam.

To był mail od mamy, co oczywiście też jest miłe.

(Zaraz po tym, jak przyszedł wiersz, dostałam od mamy SMS-a, w którym wyznaje, że napisanie tego wiersza zajęło jej wieki, bo utknęła na szukaniu słowa, które by się rymowało z „pingwin" i „zoolog").

Ale wierszyk był cudowny i totalnie się wzruszyłam. Włożyłam nawet telefon do przedniej kieszeni sukienki ogrodniczki, żeby mieć mamę jak najbliżej serca.

A co z Archem? Chcę pogadać o tym z babcią Viv, może ona będzie wiedziała, co mogło się z nim dziać i co mam w takim razie robić, bo muszę przyznać, że jest naprawdę świetna w dawaniu rad.

Chociaż przez ostatnich parę dni, odkąd ona i Siad na dobre zadomowili się w Zgryzi, było naprawdę trudno mieć babcię tylko dla siebie. Każdy ją uwielbia i chce z nią spędzać czas, łącznie z nauczycielami. Ona sama zaś jest TAK wdzięczna Lulu za to, że zatrudniła ją jako kucharkę i gospodynię na czas, kiedy tu będę, że wzięła na siebie dodatkowo pięć innych rzeczy, o które Lulu nigdy jej nawet nie prosiła (osobista asystentka Lulu, szkolna doradczyni, asystentka do spraw prac domowych, profesjonalna opowiadaczka bajek na dobranoc, przytulaczka-usypiaczka). W zasadzie to w tamtym tygodniu rozmawiałam z babcią o wiele mniej niż kiedykolwiek wcześniej...

I widzę, że jest teraz w jadalni, zajęta odklejaniem i odganianiem dzieci od okien. Nie jestem w stanie zliczyć przyklejonych nosów, kółek z pary wydmuchiwanej z buzi na szybę i zatłuszczonych palców smarujących okna jadalni od środka, podczas gdy ich właściciele gapią się na nas czy raczej na nową dziewczynkę.

Siedzimy z Budyką przy stole piknikowym na trawniku na tyłach szkoły, z daleka od zgiełku. Lulu pomyślała, że nasza najnowsza uczennica może się poczuć przytłoczona chaotyczną mieszanką wybuchową złożoną z kóz, psów i Traszek, więc zaprosiła mnie, Czajkę, Zeda oraz panią Ametyst, żebyśmy zjedli obiad z nią i z Budyką. Ale jeśli Lulu sądziła, że przebywanie na słońcu w małej grupie sprawi, że nowa dziewczynka zrobi się nagle rozmowna i zrelaksowana – to się myliła. Budyka tylko kroi swoją tartę i ziemniaki z sałatki na malutkie kawałeczki i dziobie je jak ptaszek, a Lulu i pani Ametyst dwoją się i troją, żeby podtrzymać konwersację. Na każde zadane pytanie Budyka w odpowiedzi przytakuje albo kręci głową, czasami dla odmiany wzruszając chudymi ramionkami.

– Smakuje ci obiad? (kiwanie)

– Chciałabyś dokładkę? (kręcenie)

– Co najbardziej lubisz jeść? (wzruszenie ramion)

Poza pytaniem o jej zdanie na temat jedzenia Lulu i pani Ametyst próbowały zapytać Budykę o rodziców, ulubione przedmioty w szkole, o to, czy ma jakieś hobby, zainteresowania albo zwierzaki, ale przypominało to próbę nawiązania rozmowy z jedną z tych stonóg, które Wydry i Kasztanki wcześniej malowały.

Zachowała kamienną twarz nawet wtedy, kiedy Zed próbował ją zabawić pokazem swoich żonglerskich umiejętności, używając pomidorków koktajlowych i młodych ziemniaków.

– Dobrze, myślę, że czas na lekcję przyrody u Traszek! – oznajmia wreszcie pani Ametyst. – Budyko, chodź ze mną!

Budyka bez słowa porządnie odkłada widelec i nóż na talerz, po czym rusza za panią Ametyst w stronę tylnego wejścia do szkoły, mijając się z babcią Viv idącą w przeciwnym kierunku.

Widziana od tyłu, z długimi włosami i pajękowatymi nogami, Budyka wygląda jak połączenie kudłatego charta afgańskiego z wróblem. Przy niej mój Siad, będący krzyżówką boksera z pudlem, wygląda prawie że normalnie.

– Więc – zaczyna Czajka, gdy tylko Budyka znika nam z oczu – dlaczego ta dziewczynka JEST taka dziwna?

– Nie ma nic złego w byciu dziwnym, Czajko! Wszyscy najfajniejsi ludzie są dziwni! – mówi wesoło babcia Viv, podchodząc do nas, a ognistoczerwone koczki, które nosi upięte po obu stronach głowy, wyglądają szczególnie pięknie w blasku słonecznych promieni.

– Nie chodzi o to, że jest dziwna – mówi Lulu. – Myślę, że była po prostu wychowana w odosobnieniu.

– Co masz na myśli? – pytam.

Ja, Czajka i Zed mamy mieć teraz z Lulu zajęcia z angielskiego, ale nie mam nic przeciwko temu, żeby najpierw dowiedzieć się czegoś więcej o Budyce.

– No więc tata Budyki jest sławnym dyrygentem, a jej mama jest wybitną wiolonczelistką – tłumaczy Lulu. – Często wyjeżdżają, żeby dawać koncerty na całym świecie.

Jak do tej pory wygląda na to, że rodzice wszystkich uczących się tutaj dzieciaków mają pracę, która wymaga od nich dłuższych wyjazdów. Rodzice Mai--Belli są sławnymi amerykańskimi piosenkarzami country i są zawsze w trasie. Rodzice Angeli to znani aktorzy filmowi z Bollywood. Klara jest z Niemiec, a jej rodzice są niezmiernie uczonymi, mądrymi profesorami czegoś-tam, którzy ciągle są zapraszani do wygłaszania wykładów o-czymś-tam-na-czym-się-znają dla innych mądrych ludzi w wielu różnych krajach…

– W każdym razie Budyka miała do tej pory prywatne nauczanie w domu – mówi dalej Lulu. – Dlatego przez wiele miesięcy jedynymi osobami, jakie widywała, były jej nauczycielka i gospodyni.

„Oj, to brzmi okropnie" – myślę sobie i czuję nagły przypływ smutku. Robi mi się żal tej Budyki. W domu miałam mamę, Siada i babcię Viv, i Archa, i wszystkich kolegów z klasy w mojej starej szkole, z którymi mogłam pogadać, pośmiać się, którzy się ze mną bawili albo mnie lizali. (To ostatnie odnosi się oczywiście do Siada, choć Arch też raz polizał mi rękę, kiedy mu zasłoniłam dłonią usta, żeby przestał non stop nadawać podczas oglądania odcinka *Doktora Who*. FUJ!!!).

– W każdym razie – mówi Lulu – jej rodzice postanowili, że to DOSKONAŁY moment, żeby mogła stać się bardziej towarzyska i zyskała przyjaciół!

– Hmm… A nie mówiłaś też, że ta jej nauczycielka dostała inną pracę i rodzice desperacko szukali jakiegoś miejsca, gdzie ją szybko przyjmą? – pyta babcia Viv.

– Yyyy, tak, to także – przyznaje niechętnie Lulu, prawdopodobnie dlatego, że nie chce przyjąć do wiadomości, że Zgryzia może być dla kogoś ostatnią deską ratunku.

– Tak, ale Budyka jest niewiarygodnie cicha i poważna – mówi Zed. – Myślisz, że wszystko z nią w porządku? To by było okropne, jeśliby się okazało, że jest strasznie nieszczęśliwa i tylko umie to dobrze ukrywać...

– To miło z twojej strony, że tak się przejmujesz, Zed – mówi Lulu, uśmiechając się do syna. – Ale państwo Featherton-Snipe powiedzieli, że Budyka lubi spędzać czas we własnym towarzystwie. ONI sami też nie wydają się szczególnie uczuciowymi osobami, więc sądzę, że mogli po-

dobnie wychować córkę. Byli oboje bardzo rzeczowi podczas pożegnania. Nie widziałam żadnych łez ani przytulania.

– Naprawdę? – pyta babcia Viv, zszokowana wizją pożegnania pozbawionego uścisków i płaczu. Odruchowo wyciąga przez stół rękę w kierunku mojej dłoni, żeby ją szybko uścisnąć, na dowód, jak bardzo mnie kocha, a ja szybko odwzajemniam się jej tym samym.

– Czyli Budyka miała prywatne nauczanie w domu i nie jest zbyt przytulaśna, ale co JESZCZE o niej wiesz? – Czajka się nie poddaje, próbując wyciągnąć ze swojej mamy więcej informacji.

– Yyyy... zobaczmy. – Lulu się zamyśla, po czym zaczyna wyliczać na palcach, co wie o Budyce: – Pani Featherton-Snipe mówi, że ma naukowe zacięcie, lubi się uczyć i odrabiać prace domowe... że co najmniej przez godzinę dziennie ćwiczy grę na skrzypcach... i że czesze włosy sto razy rano oraz przed pójściem do łóżka.

– Hmm. Zdaje się, że ta dziewczyna potrzebuje trochę przerw na zabawę w tym napiętym grafiku – mamrocze pod nosem babcia Viv.

– Cóż, zrobimy, co w naszej mocy, żeby to właśnie dostała, prawda? – mówi radośnie Lulu. – Jestem przekonana, że niedługo się wyluzuje i dostosuje do reszty Traszek...

Kiedy Lulu wypowiada to zdanie, w mojej głowie pojawia się cień wątpliwości. Traszki są co prawda kochane, ale są też kompletnie zwariowane, niczym szczeniaki, które opiły się mleka. Jak spokojna dziewczynka, która jest przyzwyczajona do przestawania sama z sobą, ma przywyknąć do przebywania w jednej klasie i w tej samej sypialni z bandą totalnych świrusek?

– Och, przypomniałam sobie coś jeszcze – dodaje Lulu. – Pani Featherton-Snipe powiedziała mi, że w ich rodzinie nie używa się cukru, więc musimy to uwzględnić w menu, Viv...

– Phi! – prycha babcia Viv, jakby właśnie usłyszała najgłupszą rzecz w swoim życiu.

– ...i ma na imię Budyka, bez żadnych zdrobnień.

– Ha! – śmieje się Czajka. – To dość dorosłe imię

dla tak małej osoby, jakby się nad tym zastanowić, nieprawdaż?

O-oo! Kiedy tak tu wszyscy rozmawiają, prychają i się śmieją, nagle dostrzegam w ogrodzie coś, czego nie powinno tu być. A raczej kogoś.

Budykę.

Nie było jej krócej niż pięć minut, ale oto i ona – drepcze w naszym kierunku po trawniku i patrzy już z daleka swoimi wielkimi szarymi oczami.

– Lulu – mówię szeptem, starając się ostrzec naszą dyrektorkę przed uciekinierką.

Zanim Lulu zdążyła się odwrócić, Budyka wdrapuje się z powrotem na ławkę obok babci Viv i sięga po jeden z podręczników do angielskiego, leżących na stole.

– Hm, Budyko – mówi Lulu, podczas gdy Budyka szybko kartkuje książkę, skanując wzrokiem strony. – Czy nie powinnaś być w środku na zajęciach z przyrody?

– Hej! Hej! Nie przejmujcie się – rozlega się nagle głos pani Ametyst i widzimy ją samą, jak macha do

nas, stojąc na progu tylnych drzwi do szkoły ze stropioną miną. – Budyka jest bardzo mądrą dziewczynką i zrobiła JUŻ wszystkie zadania!

– Już? – powtarza Lulu. – A co robią pozostałe Traszki?

– Gryzą ołówki i głowią się nad pierwszym pytaniem – odpowiada pani Ametyst.

Dwie nauczycielki wymieniają spojrzenia. Mamy już w szkole jedną maniaczkę nauki i jest nią dziesięcioletnia Leta, która lubi dla rozrywki czytać przed snem arkusze egzaminacyjne.

Ale wygląda na to, że Leta MOŻE mieć rywalkę w konkursie o nagrodę Supermaniaka Nauki w Świętej Zgryzi, o ile w ogóle mamy taki konkurs!

– Budyko, chodź do nas do klasy, znajdę ci jakieś inne zadanie – mówi łagodnie pani Ametyst.

Bez słowa, bez jakiejkolwiek zmiany wyrazu twarzy Budyka zamyka książkę i ponownie drepcze za nauczycielką.

– Myślicie, że pani Ametyst będzie miała problem, żeby znaleźć dla niej wystarczająco dużo pracy? – zastanawia się na głos babcia Viv.

– Myślicie, że Budyka rozumie pojęcie lekcji, skoro zawsze miała prywatne nauczanie? – dorzuca swoje trzy grosze Lulu.

– Myślicie, że będzie tu znowu za pięć minut? – zastanawia się Zed.

– Myślicie, że ona jest robotem? – pyta Czajka, robiąc w zadumie wielkiego różowego balona.

Wiecie co? Myślę, że jest spora szansa, że WSZYSCY: babcia Viv, Lulu, Zed i Czajka, mogą mieć rację.

Rozdział 5

Dobranoc...
Ups

I ręcznie robione
naszyjniki
z imionami...

Stokrotka
Eliza
Pola
Rafaela
Gizela
Jessica
Iza
karina
Oliwka
Hania

Dziesięć imion nabazgranych niechlujnie markerami na prostokątnych tekturkach. Każdy kartonik wisi na sznurku na szyi każdej dziewczynki obecnej w sypialni Traszek.

– POPATRZ! – mówi Stokrotka. – Zrobiłyśmy dla KAŻDEGO naszyjnik z imieniem!

Z całą pewnością odziane w piżamy Traszki były bardzo, bardzo zajęte. Nie tylko posprzątały swoją sypialnię – prawdopodobnie zmiatając

Eliza

W

Rafaela

Jessica

Pola

karina

Stokrotka

Iza

Gizela

Oliwka

Hania

skarpetki i pozostałe widoczne oznaki bałaganu do szafy – ale też próbowały się uczesać, choć z różnym powodzeniem.

I oczywiście, wykazując się wielką dbałością o szczegóły, zrobiły naszyjniki z imionami dla każdej osoby w szkole. Trzy naszyjniki przeznaczone dla członków kadry leżą na najbliższym łóżku – Toshio i babcia Viv dostają wysokie noty za poprawną pisownię, a Looloo też jest dość bliskie oryginału. Na podłodze leży jeden dla pani Amtyst, a obok niego drugi, przeznaczony dla panny Fabiny.

Jest nawet po jednym dla Siada i Migi. (Będzie można mówić o prawdziwym farcie, jeśli TE konkretne przetrwają dłużej niż pięć sekund, zanim zostaną zjedzone…)

– A ten jest dla CIEBIE! – mówi Stokrotka, sięgając po naszyjnik, który leży za jej plecami i na którym jest napisane Dani Dexterer. Hej, całkiem blisko.

Dziewczynka, która, sądząc po JEJ naszyjniku, ma na imię Hania, stoi na palcach i stara się dosięgnąć głowy Czajki, żeby włożyć jej tabliczkę na szyję.

Nawet mimo tego, że naszyjnik jest do góry nogami, Czajka może przeczytać, że na JEJ wizytówce

napisano *Czajnka* (w życiu nie widzieliście, żeby ktoś tak przewracał oczami jak Czajka w tym momencie).

– Nie zrobiłyśmy jeszcze tej dla Budu... Budiki – duka Stokrotka, podnosząc pusty kawałek tekturki – bo nie wiedziałyśmy, jak się to pisze.

– Proszę – odpowiadam i biorę od Stokrotki marker oraz tekturowy prostokąt, na którym ładnymi, schludnymi literami zapisuję imię Budyki.

Przyszła posiadaczka ostatniego imiennego naszyjnika jest w tej chwili na dole w kuchni. Babcia Viv wymyśliła, że tym, czego Budyka może potrzebować, żeby się zrelaksować i poczuć tu jak w domu, jest:

a) gorąca czekolada,

b) kawałek czekoladowego ciasta własnej roboty,

c) miła pogawędka z babcią (mimo że babcia Viv nie jest przykładem typowej babci – zacznijmy od tego, że lubi słuchać punka i jeździ pomalowanym w odlotowe wzory vanem).

Ale na podstawie tego, czego już zdążyliśmy się dowiedzieć o Budyce, myślę, że ich prywatne spotkanie w kuchni może się okazać dużo mniej słodkie i urocze, niż się tego spodziewa babcia Viv.

Budyka prawdopodobnie siedzi teraz przy kuchennym stole, siorbiąc ciepłe mleko i wpatrując się bez słowa w babcię oraz jej jaskrawoczerwone włosy...

W każdym razie podczas gdy Budyka robi to, co robi, z babcią Viv, ja i Czajka przeprowadzamy inspekcję w sypialni Traszek i organizujemy dla nich małą pogadankę na temat możliwie najlepszego zachowania względem Budyki.

– Pamiętajcie, że ona nie jest przyzwyczajona do innych dzieci – mówię im. – Więc musicie być w stosunku do niej cierpliwe i miłe, i nie ZA BARDZO natrętne.

– Natrętne? – powtarza Stokrotka, która wygląda tak, jakby nie do końca rozumiała.

– Dani chce przez to powiedzieć, żebyście się nie zachowywały jak banda zwariowanych goblinów, którymi tak naprawdę jesteście – mówi otwarcie Czajka. – Przynajmniej na początku, zanim się do was przyzwyczai.

Oj...! Stokrotka i pozostałe zwariowane skrzaty wyglądają na nieco dotknięte, co powoduje, że dopadają mnie wyrzuty sumienia. Bo przecież uważam, że Traszki są mimo wszystko naprawdę kochane.

Nie tylko podjęły próbę doprowadzenia do porządku pokoju i własnych fryzur oraz włożyły nadludzki wysiłek w przygotowanie naszyjników z imionami, ale też uprzątnęły gniazdo piratów z wolnego łóżka i nawet zostawiły na poduszce Budyki bukiecik z żółtych mniszków.

– A tak w ogóle to wspaniały pomysł z tymi kwiatkami! – mówię szybko, żeby zatrzeć złe wrażenie i żeby Traszki nie czuły się urażone.

– To był mój pomysł! – wyje z zachwytu Oliwka. (Ojej, teraz widzę, że te naszyjniki z imionami naprawdę MAJĄ sens).

Równocześnie podchodzę do łóżka i szybkim ruchem ręki zgarniam z pościeli żuka, pająka i ślimaczka, które właśnie nakryłam na próbie ewakuacji z mniszkowego bukietu.

– Już jesteśmy! – rozlega się w tym momencie tubalny głos babci, która pojawia się w drzwiach, delikatnie popychając w naszym kierunku milczącą jak zwykle Budykę.

Babcia może i się uśmiecha, ale rzuca mi szybkie spojrzenie, z którego mogę odczytać wiadomość: „Nie, niestety domowe ciasto i rozmowa z babcią NIE zadziałały...".

Wiedziałam.

– Czy ten pokój nie wygląda wspaniale!? – mówi babcia fałszywie entuzjastycznym tonem. – Och, a co tu zrobiłyście, dziewczynki? Czyżby to były wizytówki? Fantastyczny pomysł!

– To NASZYJNIKI z imionami! – prostuje Stokrotka, wręczając babci Viv i Budyce ich spersonalizowane prezenty.

Babcia wygląda na autentycznie zachwyconą i zakłada swój od razu.

Budyka wydaje się skonfundowana i wlepia wzrok w kartonik ze sznurkiem.

– Naszyjniki z imionami, doskonałe! – oświadcza babcia Viv, zręcznie przejmując ten przeznaczony dla Budyki i zawieszając go na jej szyi, zanim ktoś znów poczuje się urażony.

Okej, skoro przybyły posiłki w postaci babci Viv, wygląda na to, że nasza misja dobiegła końca i możemy się stąd zawinąć.

Kiedy bowiem babcia groźbą i prośbą pakuje Traszki do łóżek – sprawdzając wcześniej, czy zęby zostały umyte i czy piżamy są założone na dobrą stronę – my możemy w końcu zająć się naszymi sprawami. Bo oczywiście, będąc najstarszą grupą w całej szkole, mamy jeszcze mnóstwo czasu przed pójściem spać. Możemy siedzieć w sypialni i gadać albo czytać, albo malować ptaki na ścianie, albo robić, co nam się żywnie podoba. Dziś będzie to dla mnie oznaczać wysłanie do mamy odpowiedzi na jej wiadomość z wierszem z bieguna oraz złapanie babci Viv na rozmowę, jak tylko się upora z usypianiem starych i nowych Traszek.

Ale najpierw ja i Czajka idziemy do sypialni i przebieramy się w piżamy (moja jest w kratkę, a Czajki przypomina chińskie kimono). Potem idziemy do znajdującej się na końcu korytarza łazienki dziewczynek na wspólną sesję szczotkowania zębów. Żeby tam dotrzeć, musimy minąć mojego leżącego na podłodze i chrapiącego psa.

Nasza sesja przeradza się w prawdziwy zęboszczotkowaniowy-buziomyciowy maraton, bo Angela (w koszuli nocnej w kolorze fuksji), Klara (w piżamie

w jednorożce), Maja-Bella (w obszernym czarnym T-shircie z czaszkami) i Leta (w białej bawełnianej, zapiętej pod szyję koszuli nocnej) też już tam są.

– Co myślicie o tej nowej? – pyta nas Angela, upinając niedbale długie ciemnobrązowe włosy w luźny koczek.

Czajka wzrusza ramionami.

– Nie jestem pewna, czy to się uda – mówi po wypłukaniu ust z pasty do zębów.

– Co masz na myśli? – pyta Maja-Bella, marszcząc czoło pod gęstą czarną grzywką.

– No, wiecie, każdy tu się dobrze czuje, mimo że wszyscy się od siebie bardzo różnimy, i, rzecz jasna, JA jestem jedyną normalną osobą w Gryzi – oznajmia Czajka, nie zważając na nasze protesty i śmiechy. – Ale nie jestem wcale pewna, czy Budyka kiedykolwiek się tu wpasuje. Nie jestem pewna, czy ona w ogóle CHCE się wpasować...

– Tak, ale musimy dać jej szansę – mamroczę, szczotkując zęby.

Myślę, że powinniśmy dać jej czas, żeby się tu zadomowiła, mimo że uważam ją za trudniejszą do odszyfrowania niż najbardziej skomplikowane sudoku.

Czajka w odpowiedzi wzrusza ponownie ramionami, jakby chciała powiedzieć, że to, ile szans i czasu jej damy, nic nie zmieni.

– Może Budyka musi się po prostu porządnie wyspać – mówi Leta. – Chwilę przed tym, nim tu przyszłam, widziałam, jak babcia Viv wychodziła na palcach z sypialni Traszek, więc wygląda na to, że Budyka i Traszki jakoś się dogadały.

Och nie... babcia Viv już zeszła na dół, zanim zdążyłam ją złapać i z nią pogadać? Pewnie teraz je kolację z pozostałymi nauczycielkami i Toshiem.

„Wiem – myślę, płucząc szczoteczkę i wsadzając ją do plastikowego pojemniczka. – Wyślę jej SMS-a i zobaczę, czy będzie mogła wpaść tu na chwilę, jak skończy jeść..."

– Dobranoc – mówię wszystkim, wychodzę z łazienki i kieruję się do naszej sypialni, zostawiając z nimi Czajkę, która przyjdzie sama, jak będzie gotowa.

Przeskakując ponownie nad śliniącym się przez sen Siadem, docieram do naszego pokoju i otwieram drzwi – nigdy nie zamykamy ich na klucz o tej porze, kiedy Traszki już, dzięki Bogu, śpią.

Gdy tylko ląduję na moim łóżku, sięgam po telefon, czekający na stoliku nocnym zaraz obok wydrukowanego wiersza o biegunie południowym autorstwa mojej mamy, pod czujnym okiem plastikowego T. rexa z zabandażowaną nogą i ogonem. (To jedna z zabawek, które ja i Arch zebraliśmy, żeby obsadzać je jako aktorów w naszych filmikach. T. rex jest nadal moim faworytem, mimo że został częściowo zjedzony przez Migę).

Chwila moment...

- wiersz,

- mój T. rex,

- poranna sugestia Zeda, że powinnam nakręcić nowy superfilmik, który zwróci uwagę Archa.

BUM! Te trzy myśli właśnie zderzyły się z sobą w mojej głowie i połączyły w DOSKONAŁY pomysł.

Oto co zrobię – przerobię trochę wiersz mamy, a potem nakręcę filmik, w którym T. rex będzie go „recytować".

Po ponownym przeczytaniu wiersza w kilka sekund powstaje w mojej głowie nowa wersja.

Następnie klękam przy szafce nocnej i jedną ręką kieruję telefon na T. rexa, a drugą trzymam jego ogon, tak żebym mogła nim poruszać, kiedy recytuje.

A OTO co mówi...

Wiersz o Zgryzi

Budzę się każdego ranka,
Sama dokładnie nie wiem gdzie,
W tej zwariowanej krainie,
Gdzie same bziki otaczają mnie.

Lekcji dziwnych jest tu sporo,
Dziwni są nauczyciele,
Atrakcji tutaj mamy wiele,
Lecz brakuje mi CIEBIE!

Naciskam stop.

Przewijam filmik do początku i oglądam go jeszcze raz. Bardzo zadowolona z rezultatu, wrzucam
go na YouTube'a i uśmiecham się do siebie. Teraz
muszę tylko poczekać, aż Arch obejrzy mój film i…

– DANI! – woła babcia Viv, wparowując do pokoju. Zaraz za nią pojawia się Siad, który zdążył się już obudzić.

Podskakuję tak gwałtownie, że prawie uderzam
głową w górne łóżko.

– Co? Co jest? – piszczę, bo udzieliła mi się jej panika.

Za babcią Viv rozlega się oszalały tupot stóp, bo
oto Czajka i Kasztanki wybiegły z łazienki i pędzą
teraz korytarzem.

– Zniknęła! – krzyczy babcia Viv, trzymając się za klatkę piersiową i próbując uspokoić oddech, gdy tymczasem tuż za nią pojawia się jeszcze WIĘCEJ dziewczynek. Nawet wyglądające na całkiem zaspane trojaczki z klasy Wydr zmaterializowały się tutaj, zastanawiając się, co się stało.

– Kto zniknął? – pytam.

– Budyka! Dopiero co przyszłam na górę, żeby sprawdzić, czy wszystko u niej w porządku, i jak tylko zajrzałam do sypialni Traszek, zobaczyłam, że jej łóżko jest puste. Obudziłam dzieciaki i kazałam im szukać pod każdym łóżkiem oraz we wszystkich kryjówkach i zakamarkach, ale nigdzie jej nie ma!

Ups. Zgubiliśmy nową uczennicę. Nie za szybko?

– W łazience dziewczyn też jej nie ma – stwierdza Czajka. – Byłyśmy tam wszystkie cały czas i gadałyśmy.

– Chodźmy sprawdzić w naszej sypialni – mówi Klara do współlokatorek, pokazując gestem, żeby za nią poszły.

– Pomogę trojaczkom przeszukać ich pokój – proponuje Leta.

– Możesz też sprawdzić tu, Dani? – prosi babcia Viv.

– To nie ma sensu – odpowiadam. – Jestem tu od dawna. Zauważyłabym, gdyby Budyka weszła.

– Hmm… W takim razie musimy zorganizować misję poszukiwawczą – obwieszcza babcia Viv. – Czajko, biegnij na dół powiedzieć mamie i pozostałym, co się stało. Reszta ze mną: sprawdzimy pokoje, a potem spotkamy się na dole w holu i postanowimy, co robić dalej. Chodźcie, szybciutko!

Babcia Viv klaszcze w dłonie i wygania wszystkich. Próbuję biec za nimi, ale stopa zaplątuje mi się w kołdrę i skaczę dookoła, sapiąc i próbując się uwolnić, nie upadając przy tym na twarz.

– Hej!

Słysząc cichutki głosik, zamieram w bezruchu, stojąc na jednej nodze jak jakiś ubrany w szkocką kratę flaming. Skąd dobiega to cichutkie „Hej"?

– **Hau!**

Rozglądam się dookoła. Siad może i jest głupkiem – w zasadzie to na dziewięćdziesiąt dziewięć procent na pewno nim jest – ale w tym momencie używa jednego procenta swojej inteligencji, żeby naprowadzić mnie na trop.

– **Hau! Hau!**

Stoi przy piętrowym łóżku w przeciwległym rogu pokoju... przy łóżku Czajki. Oparł swoje włochate łapy na drabince, jakby zamierzał po niej wejść na górne łóżko i spędzić tam noc.

Tyle że nie byłoby tam już dla niego miejsca, bo łóżko jest zajęte. I to nie przez Czajkę, która jest w tej chwili na dole z nauczycielkami.

Uwolniwszy się w końcu z kołdry, podchodzę do małego kopczyka, który dostrzegam na łóżku Czajki.

Gdy jestem bliżej, widzę parę szarych oczu, które patrzą na mnie spod kołdry.

– Budyko? – mówię. – Co ty tutaj robisz? Nie słyszałaś, co mówiła babcia Viv? Wszyscy cię szukają. Myślą, że zniknęłaś.

Budyka mruga do mnie i przygryza wargi, ale nic nie mówi.

– Jak to się właściwie stało, że weszłaś tu niezauważona? – pytam. – Zaczekaj... Zakradłaś się tu, kiedy poszłyśmy z Czajką myć zęby?

– Mhm – brzmi cichutka odpowiedź.

– Ale dlaczego nie zostałaś w sypialni z Traszkami?

– Jest ich za dużo. I za dużo mówią.

W sumie to w przypadku Budyki zbyt wiele rozgadanych Traszek NIE równa się zadowolonej dziwnej-nieśmiałej dziewczynce.

– Słuchaj, one po prostu chcą się zaprzyjaźnić – staję w obronie Traszek.

– Ale ja się nie chcę zaprzyjaźniać. – Budyka mówi to tak cicho, że ledwo jestem w stanie ją dosłyszeć.

Zaraz potem odwraca się do ściany i zaczyna rysować palcem wzdłuż konturów jednego z ptaków namalowanych przez Czajkę.

AUUUUUUUUUUU-HUUUUUU!

Naszą rozmowę przerywa głośne wycie Siada, który najwyraźniej chce oznajmić wszystkim w szkole i w ogóle wszystkim znajdującym się w promieniu dziesięciu kilometrów, co lub kogo znalazł.

Jego strategia chyba działa, bo mieszanina okrzyków i tupania nóg, słyszana przed chwilą na DOLE, przemieszcza się teraz z powrotem schodami na GÓRĘ.

Kiedy banda złożona z rozgadanych uczennic i kadry wpada do naszego pokoju, wycofuję się na moje łóżko, pozwalając Lulu i babci Viv zająć się naszym najnowszym i najbardziej opornym nabytkiem.

– Alarm odwołany! Wracamy do łóżek! – nalega pani Ametyst, wyganiając z naszej sypialni niedobitki Kasztanków, Wydr i wyrwanych ze snu Traszek.

Ponieważ Czajka nie ma w tym momencie za bardzo dostępu do SWOJEGO łóżka, dołącza do mnie.

– Co się dzieje? – pyta szeptem, podczas gdy Lulu i babcia Viv próbują przeprowadzić bezboleśnie trudną rozmowę z Budyką.

– Powiedziała mi, że nie chce mieć przyjaciół – wyjaśniam, myśląc o tym, co Budyka mi właśnie powiedziała swoim cieniutkim głosikiem. – Miałaś rację, Czajko, ona wcale nie CHCE się tu wpasować.

Tak się zawieszam na tej myśli, że dopiero po paru sekundach orientuję się, że mój telefon wibruje.

Kiedy po niego sięgam, dostrzegam komunikat o lajku, który pojawił się pod moim filmikiem.

Tak, tak, TAK!

Arch żyje – i co więcej – jest online!

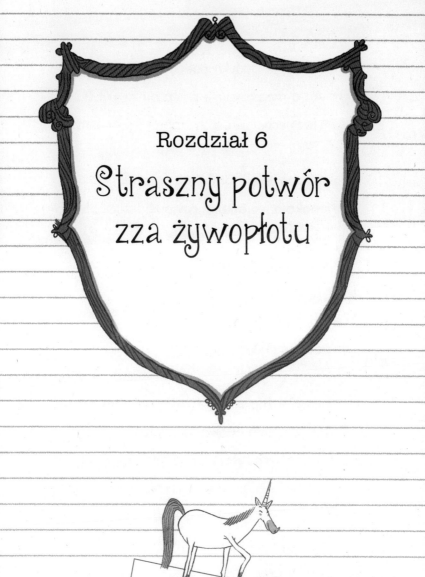

Rozdział 6
Straszny potwór zza żywopłotu

I cichuteńkie eeeeeee!

Okazuje się, że Budyka, podobnie jak ten chłopiec z wierszyka o marudzie, nie przepada za WIELOMA rzeczami. Przyjechała dopiero wczoraj, a już wiemy, że:

Nie podoba jej się sypialnia Traszek.
Nie smakują jej jajka gotowane przez babcię.
Nie lubi zwierzaków w szkole.
Tak samo jak uczniów, nauczycieli i naszych luźnych reguł.
Nie lubi się śmiać ani rozmawiać.
Nie podoba jej się czapka Zgryzi...

– To głupie – mówi zupełnie poważnym tonem, kiedy przechodzimy obok pomnika świętej Gryzeldy, której ktoś rano założył na kamienną głowę tradycyjny wielkanocny czepek. A może Budyka miała na myśli sztuczne rude wąsy przyczepione nad górną wargą Zgryzi. Albo dmuchane koło ratunkowe wiszące na jej lewym nadgarstku.

Ale nie miałam ochoty jej wyjaśniać, że GŁUPIE czasem może być DOBRE.

A to dlatego, że sama nie byłam w dobrym nastroju.

Miałam nadzieję, że skoro Arch wczoraj wieczorem „polubił" mój poetycki filmik, wszystko wróci do normy. Ale nie – Arch nie zostawił żadnego komentarza ani nie odpisał na moje wiadomości.

Ponownie nastała cisza w eterze.

Dziwna cisza, zupełnie nie w stylu Archa...

Ciągle się nad tym głowię, nawet teraz, kiedy próbuję zatrzymać Siada i Migę, kręcących się jak w jakimś opętańczym tańcu na czterech łapach dookoła latarni ulicznej przed naszym lokalnym supermarketem.

Kiedy próbuję rozplątać sznurki służące za smycze, dostrzegam jakieś dzieciaki z miejscowej szkoły, idące chodnikiem trochę przed nami. Mają w rękach podkładki z klamerkami, a na twarzach złośliwe uśmieszki. I – aha! – zgadnijcie, kto idzie na samym przedzie tego orszaku!

To Wredny Wredniak Spencer, który – mogę się założyć – mówi teraz o nas coś wrednego, a to z tego powodu, że jest typem, który ma alergię na wszystko, co miłe.

Ostatni raz widzieliśmy go na ceremonii wręczenia nagród w konkursie na najlepszy szkolny projekt filmowy, zorganizowany przez radę miasta. Spencer prawdopodobnie nadal nie może się pogodzić z faktem, że:

a) NASZ film wygrał,

b) babcia Viv zrobiła profesjonalny fotobombing ich filmu (Dalej, babciu Viv, dalej!).

– Olej ich – mówi Zed, który też już ich zauważył.

– Wracajmy do szkoły.

– Skończyłaś układać zakupy, Czajko?

– Prawie – odpowiada mu siostra, zawieszając siatki z zakupami tak, żeby równomiernie rozłożyć ciężar po obu stronach wózka Zeda. Potem sięga do jednej z siatek i wyciąga jakieś szeleszczące opakowania.

– Hej, łapcie! – woła do trojaczek i Budyki, które kręcą się nieopodal i wyglądają na nieco znudzone naszą wyprawą po zakupy. Ale tylko do czasu gdy cztery opakowania czipsów powędrowały drogą powietrzną w ich kierunku.

Fela, Hela i Mela (dumnie prezentujące swoje nowe naszyjniki z imionami autorstwa Traszek) wy-

dają z siebie identycznie brzmiące piski podniecenia i rzucają się po smakołyki.

Natomiast Budyka, trzymając w rękach otwartą książkę o Harrym Potterze i Insygniach Śmierci, patrzy pustym wzrokiem, jak paczka solonych czipsów z plaśnięciem ląduje u jej stóp.

Słyszymy, jak Spencer i jego zgraja wybuchają śmiechem. Wspaniale.

A teraz jeszcze idzie tu do nas, dumny jak paw.

– Co to ma być? – zwraca się z pytaniem do mnie, Zeda i Czajki, pokazując palcem na nasze naszyjniki z imionami. – Czy wy w Zgryzi jesteście aż tacy ociężali umysłowo, że zapominacie, jak wam na imię?

– Mamy nową uczennicę. Chcemy, żeby mogła nas łatwiej zapamiętać – odpowiada Zed najspokojniej, jak potrafi, starając się nie zwracać uwagi na szyderczy ton Spencera.

– A poza tym to nie twój interes... – odcina mu się Czajka niskim, gardłowym głosem.

– Co? Ta mała kujonka z szopą na głowie? – zżyma się Spencer, ignorując Czajkę i patrząc na Budykę, która tymczasem zdążyła już wrócić do swojej lektury i ma wszystkich w nosie.

– Miło się z tobą rozmawia, ale musimy już iść – mówi Czajka sarkastycznym tonem, podnosząc resztę siatek z zakupami.

– Zaczekaj! Nasza szkoła przeprowadza ankietę – mówi szybko Spencer, machając nam przed oczami kartką. – Mogę was spytać, jaki jest powód waszej dzisiejszej wizyty w miasteczku?

O dziwo, głos Spencera brzmi niemalże uprzejmie, kiedy wypowiada to ostatnie zdanie, co jest do niego zupełnie niepodobne.

Nagle orientuję się dlaczego: oto właśnie idzie w naszą stronę jego nauczycielka i kiwa mu głową na zachętę.

– Obowiązki czy rozrywka? – mówi dalej Spencer swoim sztucznie miłym głosem, trzymając rękę z ołówkiem zawieszoną nad kilkoma kratkami z możliwymi odpowiedziami na formularzu.

Nie jest to żaden z powodów naszej wizyty w miasteczku.

Wziąwszy pod uwagę wczorajszą nieudaną lekcję przyrody i nocną katastrofę w sypialni Traszek, Lulu musiała przemyśleć parę kwestii. Aby nadmiernie nie komplikować sprawy, pozwoliła ostatecznie Budyce spać na wolnym łóżku w pokoju moim i Czajki, ale powiedziała nam, że dziś postara się ją przenieść do grupy Wydr.

Ma nadzieję, że to będzie lepsze rozwiązanie dla Budyki, bo:

- będzie miała trochę trudniejsze przedmioty,
- będzie mogła spać w spokojniejszym pokoju,
- trojaczki są też dosyć dziwne, podobnie jak Budyka.

Pierwszym krokiem, żeby je do siebie trochę zbliżyć, miała być wyprawa na zakupy. Lulu poprosiła więc mnie, Czajkę i Zeda, żebyśmy poszli kupić trochę rzeczy do jedzenia i żebyśmy zabrali z sobą trojaczki oraz Budykę.

Niestety nie wytworzyła się między nimi żadna więź. Podczas całej wycieczki, której trasa biegła wiejską drogą, Budyka dreptała w ciszy, ignorując zarówno same trojaczki, jak i tylko-odrobinę-nieświeże pianki, którymi ją częstowały. Kiedy trojaczki zaczęły się bawić w berka w alejce z mrożonkami, Budyka przycupnęła koło półki ze żwirkiem dla kotów i pogrążyła się w lekturze książki, którą z sobą przyniosła.

– Obowiązki czy rozrywka? – powtarza głośniej Spencer, po czym dodaje półgłosem: – Czy może tylko wyprowadzacie na spacer wasze przygłupie zwierzaki?

I gestem głowy pokazuje na Budykę oraz trojaczki.

Wiecie co, korci mnie, żeby wyrwać mu z ręki ołówek i nabazgrać przez całą długość jego głupiej ankiety wielkimi literami GOŃ SIĘ! Ale o ile towarzystwo Spencera jest dla nas tak miłe jak dziura w zębie, to musimy się powstrzymać i pokazać z jak najlepszej strony przed jego nauczycielką, która idzie właśnie w naszym kierunku.

– Dzień dobry! Czy wszystko w porządku? – zagaja pogodnym tonem nauczycielka.

– W jak najlepszym, dziękujemy – odpowiada Czajka, a na jej twarzy pojawia się uśmiech tak sztuczny jak uprzejmy ton Spencera. – Ale czekają na nas w szkole, tak więc do widzenia!

Razem z Zedem wycofujemy się w ślad za Czajką, poganiając przed sobą zajęte jedzeniem czipsów trojaczki i pochłoniętą lekturą Budykę i ciągnąc z tyłu Siada i Migę.

– Hej, jeszcze nie skończyłem! – woła za nami Spencer.

– Trudno – mamrocze pod nosem Czajka, DO-SŁOWNIE w ostatnim momencie ratując zaczytaną Budykę i Harry'ego Pottera przed wejściem centralnie w przystanek autobusowy.

– To co będzie, jeśli wiecie-o-kim-mówię nie odnajdzie się tu w Zgryzi? – pyta po cichu Zed, kiedy wracamy do domu tą samą wiejską drogą.

Trojaczki idą w podskokach z przodu, zachowując jedną linię, natomiast Budyka wlecze się za nami, mrugając tylko swoimi szarymi oczami o trudnym do odczytania wyrazie za każdym razem, kiedy któreś z nas odwraca się do niej i pyta, czy wszystko w porządku.

– Myślę, że Lulu będzie musiała powiedzieć jej rodzicom, że to nie działa i że muszą jej znaleźć nowego prywatnego nauczyciela – odpowiada Czajka.

To sprawia, że znów zaczynam współczuć biednej Budyce. Utknąć w domu, z nauczycielem i gosposią za całe towarzystwo, kiedy rodzice są na tournée... to mi nie brzmi jak wymarzony scena-

riusz nawet dla nieśmiałej dziewczynki – to brzmi
po prostu bardzo SAMOTNIE.

Niespodziewanie dla mnie samej jakoś nie mogę się
pogodzić z myślą, że mała Budyka będzie musiała wrócić do tego dziwnego, pozbawionego przyjaciół świata.

Muszę się bardziej postarać i pomóc jej się tu zado-
mowić. Wczoraj powiedziałam Traszkom, że powinny
się wykazać w stosunku do niej większą cierpliwością.
W końcu ja też na początku nie lubiłam Zgryzi. Problem w tym, że ja byłam tak strasznie ZŁA na mamę
za wysłanie mnie tutaj, że nie chciałam dostrzec, jak
tu jest fantastycznie. Może Budyka też na swój sposób
gniewa się na swoich rodziców?

Może, może, może… Może to chwilę zajmie, zanim Zgryzia i jej zwariowany urok zdobędą w końcu
serce tej dziwnej dziewczynki.

Odwracam się znowu, żeby sprawdzić, czy wszystko
u niej okej, i nagle widzę, że Budykę dosłownie zmroziło.
Stoi w miejscu jak wryta i patrzy prosto na mnie.

Pierwszy raz jestem w stanie odczytać wyraz jej twarzy, który krzyczy teraz wyraźnie: ALARM.

Już mam zapytać, co się stało, kiedy słyszę, CO przykuło jej uwagę.

W zasadzie to WSZYSCY zatrzymaliśmy się, słysząc dziwne odgłosy dobiegające z zarośli po drugiej stronie spokojnej drogi.

Słychać chrobotanie.

Jakieś szelesty i trzaski.

I zdyszane westchnienie.

Zanim do moich uszu zdążą dotrzeć odgłosy warczenia i szczekania, serce bije mi w piersi jak oszalałe.

– **Hau! Hau! Hau!** – szczeka Siad, szarpiąc się na smyczy.

Oglądam się na Zeda, Czajkę i trojaczki i mogę przysiąc, że dosłownie nanosekunda dzieli któreś z nas od wydania okrzyku: „W nogi!".

Wtedy Budyka wydaje z siebie niespodziewanie dramatyczny odgłos:

– EEEEEE!

Pokazuje coś ręką, a my gapimy się w tamtym kierunku. Na **POTWORA O DZIKIM SPOJRZENIU**, który wyłania się z zarośli!

Okej, bardziej **OSOBĘ O DZIKIM SPOJRZENIU**.

Właściwie to **CHŁOPCA O DZIKIM SPOJRZENIU**.

Na jedną sekundę chłopiec o dzikim spojrzeniu zatrzymuje wzrok na mnie. Wtedy mój pies zrywa się ze smyczy i RZUCA SIĘ na niego.

– Hej! Ej! Zejdź ze mnie, Siad! – słyszę tak dobrze mi znany roześmiany głos.

I zanim zdążę pomyśleć, ja też biegnę się rzucić na Archa.

Rozdział 7
Niespodziewany gość

Oraz trochę smutków i radości...

– Ale DLACZEGO tu jesteś? – pytam, kiedy mijamy tabliczkę „**Szkoła dla Dziewcząt imienia Świętej Gryzeldy**" i skręcamy do środka. Słowo „**Gryzeldy**" jest przekreślone sprayem, a powyżej ktoś dopisał odręcznie „Zgryzoty".

Arch jest jednak zbyt obolały, żeby to zauważyć. Idzie, kuśtykając – przedostał się tu, przechodząc przez płot, ale zbutwiały drewniany stopień zarwał się pod nim i Arch spadł, zyskując przy tym parę siniaków i podrapane kolano.

Jeśli chodzi o Czajkę i pozostałych, to idą przed nami i dopiero teraz słyszę, że Czajka dzwoni do Lulu, żeby jej przekazać wieści o niespodziewanym gościu.

Cóż, nie wszyscy idą przed nami.

Budyka idzie obok Archa, usłużnie niosąc plecak, który zgubił, wyplątując się z zarośli.

Patrzy się na niego, jakby był co najmniej gwiazdą popu, a nie rozczochranym jedenastolatkiem, który nie powinien się tu w ogóle znaleźć.

– Jestem tu z powodu filmiku, który wczoraj wieczorem wrzuciłaś – odpowiada na moje pytanie Arch, opierając się na moim ramieniu. – Powiedziałaś, że tęsknisz za mną w Zgryzi. Więc pomyślałem, że wpadnę z wizytą!

Arch jak zwykle próbuje obracać wszystko w żart. Ale fakt, że się tu pojawił w takich okolicznościach, zrywając się ze szkoły we wtorek, przyjeżdżając na własną rękę... „To wcale nie jest zabawne" – myślę sobie i czuję, jak mój brzuch ze strachu zwija się w naleśnik.

Nic dziwnego, że wzięliśmy go za potwora – wygląda, jakby ktoś go parę razy przeciągnął przez te krzaki w obie strony. Co w sumie jest prawdą – musiałyśmy obie z Czajką wyswobodzić go z ciernistych gałęzi, kiedy się znienacka pojawił.

– Ale jak się tu dostałeś? – pytam, przypominając sobie, jak długo jechałyśmy tu z mamą tego dnia, gdy odwoziła mnie do Zgryzi.

– No, sprawdziłem, że muszę przyjechać autobusem z trzema przesiadkami, i wszystko szło gładko do momentu, kiedy wysiadłem na złym przystanku. Ostatecznie musiałem posłużyć się mapą w telefonie, żeby tu trafić... – tłumaczy tak lekkim i beztroskim tonem, jakby chodziło o spacer po bułki do sklepu.

Patrzę na mojego kumpla, gdy to mówi – ma gałązki i liście różnych gatunków drzew przyczepione do ubrania i wplątane we włosy, a jego policzki są wysmarowane na zielono trawą i pokryte różową siatką świeżych zadrapań.

– I to też było w porządku – mówi dalej – dopóki nie musiałem iść na skróty przez mokradła, bo zaczęła mnie gonić jakaś nienormalna krowa...

Arch pokazuje na swoje kiedyś-może-i-białe tenisówki, które teraz prezentują ten sam piękny odcień brązu, co jego ubłocone skarpetki.

Podobnie jak na tym zdjęciu z kąpieliska zrobionym zeszłego lata, teraz też Arch wygląda jakoś dziwnie.

– Hej, co się stało z twoją bejsbolówką? – pytam.

– Nie wiem... Sądzę, że mogłem ją zgubić, gdy upadłem. Albo może kiedy uciekałem przed szaloną krową, albo kiedy się przeciskałem przez żywopłot.

Jakkolwiek do tego doszło, bez tej czapki szczupła twarz Archa wygląda na jeszcze szczuplejszą, nos zrobił się jakby bardziej spiczasty, a jasne włosy bardziej opadają na czoło, zakrywając oczy.

– Arch... – zaczynam, a kiedy pojawia mi się w głowie pewna myśl, mój zwinięty ze strachu w naleśnik żołądek zaczyna żyć własnym życiem. – Czy twoi rodzice wiedzą, że tu jesteś?

W sumie to nie jestem pewna, jakiej odpowiedzi się spodziewać.

Może znów będzie próbował obrócić wszystko w żart? Zacznie wymyślać wymówki? Skłamie? Bo coś tu jest **nie** tak.

Ale kiedy mój zawsze wesoły i wyluzowany kumpel nagle wybucha płaczem, czuję się, jakby mnie ktoś uderzył obuchem w głowę…

Nadal łka, cicho pociągając nosem i połykając łzy, kiedy babcia Viv biegnie nam na spotkanie.

– Cześć, Arch! – mówi ciepłym głosem, jakby na niego czekała. – Chodź, daj mi rękę.

I obejmuje go w pasie, dzięki czemu Arch może się oprzeć na nas OBU i doskakać do szkoły.

Arch nadal płacze w ten nie-do-końca-wiem-
-jak-go-nazwać sposób, gdy babcia pomaga mu

usadowić się na jednym z pufów w gabinecie Lulu. Przyciągam drugi puf tak blisko, jak mogę, i sama też się sadowię obok.

– No, już dobrze... Powoli, oddychaj głęboko – mówi Lulu, przyklękając obok Archa i uspokajającym gestem głaszcząc go po plecach.

– Skoczę tylko po apteczkę i zaraz się tobą zajmiemy – mówi babcia Viv, stojąc w drzwiach gabinetu, ale ja już wiem, że to znaczy „i idę zadzwonić do twoich rodziców".

I dobrze. Chociaż oczywiście bardzo się cieszę z ponownego spotkania z moim najlepszym kumplem, to dużo BARDZIEJ niż trochę mam pietra.

Nawet gdyby nie spadł z ogrodzenia i nie goniła go krowa, to Arch i tak naraził się na niebezpieczeństwo, wybierając się tu na własną rękę i nikomu nic nie mówiąc.

Oczywiście ktoś ze starej szkoły musiał już do tej pory zadzwonić do jego rodziców, żeby zapytać, czemu nie było go w szkole. Pewnie wariują ze strachu...

– Tak więc, Arch – zaczyna Lulu głosem tak miękkim jak obłoczki na niebie. – Ja mam na imię Lulu i jestem dyrektorką tej szkoły. TYLE o tobie słyszałam i widziałam masę świetnych filmików, które nakręciliście razem z Dani!

Nie wiem, czy to głaskanie po plecach, czy miły komplement, ale Arch patrzy teraz na Lulu i przez łzy posyła jej coś na kształt uśmiechu.

– Chyba najbardziej lubię ten z żyrafą, która śpiewa *Somewhere Over the Rainbow* dla publiczności złożonej z dinozaurów – mówi dalej Lulu.

– Bardzo wzruszające. Szczególnie ta chusteczka do nosa, którą trzyma brontozaur.

– Welociraptor – prostuje Arch, pociągając przy tym nosem i wycierając łzy wierzchem dłoni.

– Ach tak, głuptas ze mnie. Oczywiście, że to był welociraptor. – Lulu się śmieje. – W każdym razie, Arch, bardzo mi miło, że mogę cię poznać. Ale co dokładnie cię do nas sprowadza? Domyślam się, że to coś więcej niż tylko kaprys, żeby zobaczyć się z Dani?

W odpowiedzi na delikatne sondowanie Lulu oczy Archa napełniają się łzami i zmieniają w dwie miniaturowe kałuże.

– MUSIAŁEM się z nią zobaczyć. Musiałem jej powiedzieć... Ja...

– Co? Co jest, Arch? – pytam, ale łkanie powoduje, że słowa uwięzły mojemu przyjacielowi w gardle.

– To... Mama i tata, Dani – zaczyna znów po chwili i łapie głębszy oddech. – Oni się rozstają. Powiedzieli mi w weekend...

Nie!

CO TAKIEGO?

Jak to możliwe, że państwo Kamińscy, których widuję razem od najmłodszych lat, się rozwodzą?!

Jednak nagle wszystko zaczyna się układać w logiczną całość. TO DLATEGO pani Kamińska i pan Kamiński ostatnio mieli tak dziwnie smutne głosy za każdym razem, kiedy dzwoniłam do Archa do domu. Nie chodziło o to, że było im przykro z powodu mojego pobytu w szkole z internatem... Chodziło o nich, o to, że się w sobie odkochali i bali się powiedzieć o tym synowi.

No i oczywiście kiedy mu wreszcie przekazali te wieści, nie było z nim kontaktu przez ostatnich parę dni.

Och, biedny Arch...

Ramiona całe mu się trzęsą i raz po raz zanosi się płaczem.

Próbuję się do niego przysunąć, żeby go przytulić, ale w tych pufach wyjątkowo trudno się przemieszczać i jestem w połowie drogi, kiedy kątem oka dostrzegam, że z przeciwległego rogu podbiega do nas mała włochata postać.

Budyka... Musiała tam siedzieć przycupnięta i nikt, ani ja, ani babcia, ani Lulu, jej do tej pory nie zauważył.

– Proszę – mówi, podając Archowi zwiniętą w kulkę używaną chusteczkę.

– Dzięki – mamrocze Arch pod nosem, wyciągając rękę po chusteczkę. – Przepraszam, że tak się rozpłakałem i w ogóle. Przez ostatnie parę dni... czasami byłem **taki** zły, że nie mogłem płakać, a czasami **taki** przybity, że nie mogłem po prostu przestać.

– Żałuję, że mnie przy tobie nie było, kiedy się dowiedziałeś – mówię do niego.

– Ja też – odpowiada Arch, wycierając nos. – W szkole było strasznie, nie miałem z kim o tym pogadać. A kiedy parę razy było mi naprawdę smutno, niektóre dzieciaki gapiły się na mnie, jakbym miał co najmniej błyszczący rybi pysk zamiast głowy czy coś podobnego.

Wtedy Budyka wyciąga rękę i zaczyna robić coś niezwykłego: delikatnie mierzwi jasną grzywkę opadającą Archowi na czoło.

– Nie wyglądasz jak ryba – pociesza go.

Teraz Arch wygląda, jakby był nie tylko smutny, ale też totalnie skołowany – gapi się na tę małą dziwną postać, marszcząc przy tym czoło, a w jego oczach wyświetlają się na zmianę pytania: Kto? Dlaczego? Co?

– Jaka miła z ciebie dziewczynka – mówi Lulu. Szybko wstaje, chwyta rękę mierzwiącą grzywkę Archa i zręcznie wyprowadza Budykę z gabinetu. – Może przyniesiesz skrzypce i zagrasz nam coś na ukojenie nerwów w holu? Zdaje się, że odkąd tu jesteś, jeszcze nie słyszeliśmy, jak grasz. Byłoby miło, prawda?

– Nie, nie chcę – mówi Budyka, wychodząc z gabinetu.

– No cóż, zobaczmy, może uda nam się znaleźć dla ciebie coś innego do roboty... – Głos Lulu oddala się i cichnie w głębi korytarza.

– Co to za dzieciak? – pyta Arch, wydmuchując nos.

– To nowa dziewczynka – odpowiadam. – Jest u nas dopiero od wczoraj, o czym byś wiedział, gdybyś odpisywał na JAKIEKOLWIEK moje wiadomości.

Moje wysiłki zostają nagrodzone niepewnym jeszcze, ale uśmiechem.

– Okej, chodźmy stąd i znajdźmy jakieś miejsce, gdzie można pogadać na osobności – proponuję.

– Domek na drzewie będzie dobry, tylko ty i ja. I może babcia Viv, bo musi ci opatrzyć te zadrapania. I będzie tam też pewnie Miga. Domyślam się, że Siad także za nami pójdzie. Niektóre Traszki mogą próbować się tam dostać, ale odeślemy je z powrotem.

– Ale poza tym będziemy całkiem sami. – Arch się uśmiecha, tym razem już z większym przekonaniem.

– Totalnie – zapewniam go.

Następnie oboje próbujemy się jakoś wydostać z szeleszczących poduch, jednak kiepsko nam idzie, bo teraz z kolei nie możemy przestać się śmiać. Może i Arch pojawił się u nas w Zgryzi z raczej SMUTNYCH powodów, ale w tej chwili jestem RADOSNA jak nigdy, że mój najlepszy kumpel jest tu ze mną...

Rozdział 8

Koza musi się wyprowadzić...

I fanklub
jednej małej
dziewczynki...

– Zostaniesz z nami jakiś czas?

– Pomożesz nam nakręcić film?

– Chcesz zobaczyć, ile młynków umiem zrobić pod rząd?

– Jaki budyń najbardziej lubisz?

– Chcesz trochę MOJEGO budyniu?

– Możesz się podpisać na tej kartce?

– Możesz mi się podpisać na ramieniu?

– Możesz mi się podpisać na CZOLE?

Babcia Viv próbuje odpędzić wszystkie dziewczynki od Archa, ale z dość mizernym skutkiem.

Wygląda to mniej więcej tak, jakby dziś w porze obiadu w naszej jadalni wylądował helikopter z celebrytą – nagle wszystkie straciły głowę, a oczy im błyszczą.

Szczególnie Budyce, która patrzy na Archa z niewysłowioną dozą prawdziwego uwielbienia.

– Nie, nie zostanie... Nie będzie miał czasu... Nie rób młynków w środku, bo coś przewrócisz albo kogoś potrącisz... Nie, nie trzeba, Arch ma swój budyń... Nie, nie podpisze ci się na kartce... ANI na ramieniu... A już na pewno nie podpisze ci się na czole, Stokrotko! – Babcia Viv umiejętnie odpowiada na pytania, jakby odbijała serwowane w stronę Archa piłeczki.

Ale wydaje się, że Archowi trochę pochlebia to, że znalazł się w centrum uwagi, a już na pewno pozwala mu zapomnieć na chwilę o tym, że jego rodzice mogą się tu pojawić lada moment.

Wiem, o czym mówię, bo jego ręka pod stołem ściska moją tak mocno, że jestem pewna, że sam teraz doświadcza tego uczucia, kiedy żołądek ze strachu zwija ci się w środku jak naleśnik.

– Okej, wystarczy! – woła babcia Viv, zderzając z sobą dwie metalowe tace, które wydają dźwięk przypominający rozstrojone talerze perkusyjne. – Wracajcie na swoje miejsca i dokończcie obiad!

Wydając z siebie rozczarowane „Łeeee!", poszczególne Traszki, Wydry i Kasztanki oraz Budyka wleką się z powrotem na swoje miejsca, zostawiając mnie, Archa, Zeda i Czajkę w spokoju.

– Zanim wyjedziesz, powinieneś pobrać opłatę za autografy, Arch – żartuje Czajka w typowym dla siebie sarkastycznym stylu. – Zarobiłbyś majątek!

– To prawda! A za selfie mógłbyś brać jeszcze WIĘCEJ! – dodaje Zed. – Prawda, Dani?

– Ha, ha! – śmieję się, ale zaraz zdaję sobie sprawę z tego, że Arch nagle spoważniał.

Uśmiechnął się tylko półgębkiem. Nawet nie patrzy na Czajkę ani Zeda – jego wzrok spoczywa na niedojedzonym kawałku czekoladowego ciasta i roztopionych lodach w miseczce stojącej przed nim na stole.

O-o, czyżby pomyślał o rodzicach i bał się, że może się znowu rozpłakać?

– Okej? – mamroczę do niego.

– Mhmm – mamrocze Arch w odpowiedzi.

– Halo? Halo, Dani? – słyszę nagle, jak Toshio woła mnie od drzwi jadalni. – Twój przyjaciel może teraz, proszę, przyjść!

– Twoi rodzice muszą już tu być... – mówię, ściskając mocniej rękę Archa. – Idź, będzie okej! Twoja mama i twój tata są fajni.

Nerwowo zachłystując się powietrzem, Arch podnosi się od stołu i idzie za Toshiem, który uśmiecha się i pokazuje mu na migi, gdzie ma iść.

– Myślisz, że rodzice zrobią mu aferę? – pyta Zed.

– Myślę, że po prostu go mocno uściskają – mówię, patrząc ponad głowami gadających, jedzących i krzyczących dziewczynek, w nadziei, że uda mi się dostrzec choćby zarys postaci państwa Kamińskich, zmierzających do gabinetu Lulu.

– W każdym razie wydaje mi się, że rodzice Archa mają za duże wyrzuty sumienia, żeby się na niego zło-

ścić – puentuje Czajka. – Wiecie, w końcu to ich roz-
stanie tak go zasmuciło, że postanowił uciec z domu...

Przed obiadem babcia Viv zabrała Archa z sobą,
żeby opatrzyć mu kolano, co dało mi trochę czasu na
opowiedzenie Czajce i Zedowi całej tej smutnej historii.

– Tak, może i racja – przytakuję.

Kiedy to mówię, czuję, jak coś mnie uderza
w nogę pod stołem. Zabieram nogę, a moje myśli
nadal pochłania Arch i spotkanie, które właśnie ma
się rozpocząć w pomieszczeniu na końcu korytarza.

– Dobra, ja skończyłam – mówi Czajka, wstając od
stołu i kładąc brudne naczynia na tacy, której babcia
Viv przed chwilą użyła jako talerzy perkusyjnych. – Hej,
wy dwoje? Idziecie? Dziś nasza kolej na zmywanie...

– Jasne – mówi Zed, układając sobie naczynia
na kolanach i wycofując się wózkiem.

– Za sekundę do was dołączę, tylko dokończę to
– mówię, wskazując na stojącą przede mną miskę,
która może być równie dobrze pusta lub pełna,

sama nie wiem. Podobnie jak Arch nie miałam dziś przy obiedzie apetytu.

Ale gdy tylko zanurzam w niej łyżkę, ZNÓW czuję, jak coś uderza mnie w nogę.

– Przestań! Odejdź! – mówię, pochylając się i zaglądając pod stół. Spodziewam się tam kogoś włochatego. Ale to nie jest ani Siad, ani Miga. To Budyka. I w dodatku coś do mnie mówi.

Tyle że nic nie słyszę z tego, co wypowiada swoim cichutkim głosikiem, więc z głębokim westchnieniem wślizguję się do niej pod stół.

– Co robisz tu na dole? – pytam.

– Na górze jest dla mnie za głośno i zbyt tłoczno – odpowiada ogólnie. – Czy ten chłopiec tu zostanie?

– Nie – odpowiadam, zdając sobie sprawę, że tak brzmiało jej wcześniejsze pytanie. – Jego rodzice

rozmawiają teraz z nim i z Lulu, ale potem zabiorą go do domu.

Wygląda na to, że Budyka czuje się podobnie jak ja zmartwiona tym faktem.

Zastanawiam się, co takiego jest w Archu, że ona tak od razu bardzo go polubiła? Czuję się nawet troszeczkę zazdrosna. Co takiego ma Arch, czego nie mamy ja, Czajka i Zed ani pozostali tutaj?

– Słuchaj, może znajdę ci miejsce koło trojaczek? – proponuję. – Będziesz mieć z nimi lekcje dziś po południu, a wieczorem czeka cię przeprowadzka do pokoju Wydr.

Budyka kręci głową.

Jeśli zaś chodzi o MOJĄ głowę, właśnie uderzam nią w stół, próbując znaleźć wygodniejszą pozycję. Nie możemy tu dłużej siedzieć, bo ryzykuję kontuzję.

– Dobrze. W takim razie chodź ze mną do kuchni. Pomożesz mnie, Zedowi i Czajce zmywać naczynia. Przynajmniej tam będzie ciszej...

I tak Budyka bez słowa idzie za mną, bez słowa bierze ściereczkę i pomaga wycierać talerze, garnki oraz sztućce, które Czajka wyławia z pełnego piany zlewu.

Czajka, Zed i ja wymieniamy spojrzenia ponad głową Budyki. Nie ma to nic wspólnego z naszymi gadkami ani żartami, ale nasza najnowsza uczennica **w pewnym sensie** robi coś wspólnie z innymi, a to chyba dobry znak, prawda?

– Hej, Budyko! – woła Zed do naszej małej pomocnicy i zanurza rękę w zlewie. – Łap!

Zed wydmuchuje tęczową bańkę z płynu do naczyń przez zwinięte w kółko palec wskazujący i kciuk. Bańka chwiejnie unosi się w powietrzu, a lekki podmuch wiatru porywa ją z sobą w kierunku otwartego okna. Szare oczy Budyki śledzą lot bańki, a nasza trójka wstrzymuje na chwilę oddech. Czy zrobi to samo, co zrobiła wcześniej z piłką z Nemo i paczką czipsów, i pozwoli jej odfrunąć? Czy zachowa się jak normalny człowiek i wyciągnie rękę, żeby ją złapać jak delikatnego motyla? Jednak nie dane nam jest się tego dowiedzieć, bo nagle do kuchni wpada Toshio, a na jego twarzy gości szeroki uśmiech. Bańka unosi się w powietrzu i pęka.

– Tak! Jest w porządku! Wszystko jest okej! – oznajmia, podnosząc kciuki do góry. – Ale koza musi się wyprowadzić, myślę.

– Czyżby Miga siedziała na dachu samochodu rodziców Archa? – pytam.

– Słucham? – odpowiada Toshio pytaniem na pytanie, najwidoczniej tak samo jak ja zaskoczony naszą rozmową.

Wtedy do kuchni wbiega ktoś jeszcze. Ktoś, kto może to wszystko wyjaśnić, sądząc po szczęśliwym wyrazie twarzy.

– Mama i tata mówią, że mogę tu zostać parę dni! – krzyczy Arch. – Lulu im to zasugerowała. Powiedziała, że to mogłoby im dać trochę czasu, żeby wszystko wyjaśnić...

– Czyli zamieszkasz ze mną w MOIM pokoju – mówi Zed, a jego twarz promienieje na samą myśl o tym, że będzie miał nowego współlokatora i nie będzie to koza.

– Tak, koza musi się wyprowadzić – mówi Toshio, zadowolony, że ludzie w końcu rozumieją, co mówi. Arch oczywiście nie zwraca szczególnej uwagi ani na Zeda, ani na Toshia. Śmieje się tylko do mnie jak głupi do sera, wiedząc, że wreszcie będziemy mogli spędzić trochę czasu razem, jak prawdziwi przyjaciele. Podchodzę do niego, żeby przybić piątkę, ale Budyka jest szybsza. Ciasno obejmuje go ramionami w pasie, przyciskając mu głowę do piersi, a na jej buzi widać prawdziwą radość. Zatrzymuję się w pół kroku, unoszę wymownie brew, patrząc porozumiewawczo na Archa, i tylko wzruszam ramionami. Zdaje się, że ma tu prawdziwy fanklub, złożony z jednej dziewczynki!

Mniejsza o to! Kolejne dni w Zgryzce zapowiadają się naprawdę ciekawie...

Rozdział 9
Fotobombing bleee

Małe zombie
jeeee...

– Nadal nie mogę w to uwierzyć, że naprawdę jestem w Zgryzce – mówi Arch, rozglądając się dookoła po leśnej polanie, podczas gdy ognisko przed nami powoli dogasa.

Siedzimy na jednym ze ściętych pni, które ustawiliśmy dookoła ogniska. Nasz pień jest najmniejszy, ale jednak wystarcza dla mnie i dla Archa, i jego malutkiej superfanki, ściśniętej z tyłu za Archem.

To był bardzo udany wieczór... Lulu postanowiła, że urządzimy grilla z pieczonymi piankami na deser, żeby uczcić pojawienie się tu Archa.

– Nie masz nic przeciwko spaniu dziś w pokoju z Migą i z Zedem? – pytam przyjaciela.

Kiedy po południu Toshio przeniósł zapasowy materac do pokoju Zeda i chciał go położyć na miejscu psiego legowiska w kropki należącego do Migi, ta nie za bardzo się przejęła. Uszczypnęła tylko Toshia w tyłek, a potem położyła się na swoim łóżku i ani drgnęła. Przez ostatnie parę godzin kon-

sekwentnie ignorowała wszelkie próby przegania-
nia albo przekupywania jedzeniem i nie przesunęła
się ani o centymetr, mecząc tylko groźnie za każdym razem, gdy ktoś próbował się do niej zbliżyć.

– Pewnie, że nie – mówi Arch.

I milknie. Może sama myśl o tym, że będzie musiał dzielić pokój z kimś kompletnie obcym, wprawia
go w zakłopotanie.

– Cieszysz się na jutrzejsze lekcje? – pytam, zmie-
niając temat. – Lulu mówi, że rano możemy zacząć
budowę nowego domu na drzewie. Ale super, nie?

– Świetnie. – Arch uśmiecha się, cały zadowolony.
– Hej, a po lekcjach możemy gdzieś iść sami i nakręcić
parę filmików, nie? A potem, w sobotę, moglibyśmy
spędzić CAŁY dzień razem. Tylko we dwójkę. I w niedzielę, zanim mama i tata po mnie przyjadą...

Uśmiecham się, choć czuję lekkie ukłucie roz-
czarowania. Świetnie będzie nakręcić nowe
filmiki z Archem. I nie mogę się doczekać, żeby spę-

dzić z nim trochę czasu sam na sam. Ale w weekend fajnie jest też spędzać czas razem z pozostałymi. Miałam nadzieję, że Arch też złapie ten klimat.

– Okej, niedługo czas do łóżek, wracajmy do środka! – oznajmia Lulu, polewając żarzące się polana wodą z wiaderka.

Słychać co prawda dużo rozczarowanych „Łeeeee!", ale wszyscy zaczynają się podnosić z miejsc i zbierać wszystko, co przynieśli z sobą na polanę.

– Wiesz co? Ale wyglądasz jednak dziwnie bez czapki – mówię do Archa.

– Nie, wygląda ładnie – mówi Budyka i jest to praktycznie jedyna rzecz, jaką powiedziała przez cały wieczór.

– Nic mi o tym nie wiadomo! – Śmieję się. – Ale uwiecznijmy ten nieczęsty widok: Arch bez czapki...

Kiedy wyciągam telefon z kieszeni, żeby zrobić selfie, babcia Viv zgarnia wszystkie młodsze dzieci i pędzi swoje stadko w kierunku szkoły. W tym również Budykę.

– Gotowy? – pytam, a następnie robimy sobie z Archem wspólne uśmiechnięte selfie.

– Fotobomba! – słychać krzyk i oczywiście na zdjęciu jestem ja i Arch z Czajką i Zedem, którzy krzyczą w tle. Zaczynam się śmiać. Potem dostrzegam lekki grymas na twarzy Archa.

– Czemu popsuliście nam zdjęcie? – zwraca się niezadowolony do Czajki i Zeda.

– Co? – mówi zdziwiona Czajka i sama marszczy czoło.

– Nie chcieliśmy...

– Nieważne – mówi Arch, przerywając Zedowi w pół zdania. – Do zobaczenia rano, Dani...

Arch podnosi się i rusza w kierunku dużego domu, a ja pospiesznie wkładam japonki i próbuję się zorientować, co tu się właśnie wydarzyło.

– Wybaczcie, nie wiem, co w niego wstąpiło – przepraszam Zeda i Czajkę.

– W porządku, miał trudny dzień – mówi Czajka, machając ręką na znak, że nie ma się czym przejmować.

– Ale to do niego **zupełnie** niepodobne – ciągnę dalej ten temat w łazience dziewczynek, starając się zrozumieć dziwne zachowanie mojego przyjaciela.

– Słuchaj, Dani, serio, nic się nie stało – mówi Czajka, przytrzymując mi drzwi, i wracamy do naszej sypialni. – Mówiłaś, że jego rodzice się rozwodzą. Pewnie ma niezły mętlik w głowie...

Jest kochana, że tak mówi, ale ja cały czas czuję się z tym nieswojo.

I trochę się obawiam, bo Zed i Arch dzielą pokój. Czy już im przeszło i gadają sobie jakby nigdy nic? Czy też Arch nadal się dąsa i udaje tylko, że śpi, podczas gdy Zed szykuje się do spania, a Miga chrapie w najlepsze?

– Mogę zgasić światło? – pyta Czajka z ręką zawieszoną nad włącznikiem, kiedy docieram do łóżka. – Jestem trochę zmęczona.

– Jasne – mówię. – Dobranoc...

Natomiast ja jestem za bardzo nakręcona, żeby zasnąć.

Sięgam do nocnej szafki po mój telefon i wślizguję się pod kołdrę. W mojej jaskini z kołdry, nie zapalając światła, żeby nie obudzić drzemiącej Czajki, kolejny raz oglądam dziwny film Archa z tymi zombie. Myślę, że teraz, kiedy wiem, co Arch wtedy czuł, oglądam go z innej perspektywy. Nic dziwnego, że te małe zombie wyglądają tak blado i ponuro...

Właśnie oglądam go kolejny raz, kiedy czuję, jak coś spada z lekkim pacnięciem na moją poduszkę.

– Siad, nie powinno cię tu w ogóle być – syczę, odgarniając kołdrę.

Ale w świetle telefonu zauważam coś, co wcale nie ma czterech łap ani śliniącego się pyska.

Ojeej! Prawie skaczę na równe nogi, gdy widzę stojącą nade mną Budykę, która gapi się na mnie szarymi oczami bez wyrazu.

Teraz dopiero widzę, co ona mi przypomina. Trzymam przed oczami zatrzyma- my filmik i prze- noszę wzrok z Budyki na ekran i z powrotem.

Tak, ona totalnie współgra z rolkowymi zombie.

– Wystraszyłaś mnie! – zwracam się do niej, kiedy mija pierwszy szok. – Co tutaj robisz? Miałaś spać w pokoju z Wydrami!

– Coś tam szepczą po cichu. Nie podoba mi się to. Będę spała tutaj – mówi Budyka swoim cichutkim, ale zdecydowanym głosem.

To powiedziawszy, drepcze po cichu w kierunku dodatkowego łóżka i zwija się w kłębek pod kołdrą.

– Ech, no dobrze, niech będzie – mamroczę pod nosem, mając jedynie nadzieję, że nie nawiedzą mnie w nocy żadne gapiące się zombie, ani te z krwi i kości, ani te z rolek po papierze toaletowym...

Rozdział 10

Dobry dzień, zły dzień

Oraz PONOWNE zaginięcie Budyki. Ups...

– Dzień dobry, dzień DOBRY! – woła radośnie Lulu.

Naszej dyrektorki tutaj nie ma – jej radosny głos rozlega się z głośnika wiszącego nad drzwiami pokoju Grzybków. W każdym pokoju jest głośnik.

Przeciągam się i uśmiecham do siebie, myśląc, jakiego szoku dozna Arch. Nie powiedziałam mu o naszej porannej piosence!

Ale potem mój uśmiech nagle znika, kiedy sobie przypominam o dziwnym nastroju, w jakim był wieczorem mój kumpel. Mam nadzieję, że dziś humor będzie mu dopisywał...

– Dzień dobry, dzień dobry WAAAAAAM!

BAM!

Drzwi pod głośnikiem otwierają się z hukiem!

– Dziewczynki! Budyka zniknęła! ZNOWU! – woła od wejścia babcia Viv.

Podnoszę się na łokciach i aż mrużę oczy, widząc czerwonowłosą babcię Viv w jasnozielonym szlafroku i żółtych kapciach z Minionkami. Wygląda, jakby się przebrała za semafor.

– To nie jest śmieszne, Dani! – mówi, źle interpretując uśmiech na mojej twarzy. – Nasza praca polega na tym, żeby Budyka była tu bezpieczna.

– Och, wszystko okej, przyszła tu wczoraj w nocy – mówię pospiesznie, lekko urażona szorstkim tonem babci.

– Naprawdę? – pyta Czajka, ziewając na swoim górnym łóżku w drugim końcu sypialni.

– Miałam zamiar przyjść i ci powiedzieć – tłumaczę babci – ale rozmyślałam o Archu i... i... zapomniałam, i musiałam potem zasnąć.

Wyraz twarzy babci trochę łagodnieje.

– Jasne. Wybacz, że tak na ciebie napadłam, kochanie. Po prostu zobaczyłam puste łóżko Budyki, tym razem w pokoju Wydr, i zaczęłam się martwić.

– Tak, wygląda na to, że tam też jej się nie podobało – wyjaśniam. – Może lepiej będzie, jak zamieszka z Kasztankami? One są starsze i mądrzejsze...

– Może. Pogadam o tym później z Lulu – mówi babcia Viv. – To na którym jest łóżku?

– Na tym środkowym, na dole – mówię zadowolona z przeprosin.

I rozumiem: kiedy ludzie się martwią, mogą być czasem niemili. Arch martwi się tym, co się dzieje w jego rodzinie, dlatego wczoraj był trochę opryskliwy. Dziś już będzie okej.

– Mówisz, że na którym? – pyta babcia, chodząc od łóżka do łóżka i marszcząc czoło. – Budyko? Budyko, kochanie? Wstałaś już?

W sypialni Grzybków jest mnóstwo pustych łóżek. W dawnych czasach, kiedy w szkole panowała żelazna dyscyplina, ten pokój pewnie był PEŁEN dziesięcio- i jedenastolatek. Teraz mieszkamy w nim tylko ja i Czajka. I nasz nieproszony gość. Niewyspana zwlekam się z łóżka, żeby pomóc w poszukiwaniach.

– Spała na tamtym... Eeee... – Zawieszam głos, widząc, że łóżko jest puste.

Nie ma kołdry.

Ani poduszki.

Ani Budyki.

– Okej, robimy tak – mówi babcia Viv, przełączając się na tryb starszego sierżanta. – Czajko, zbierz Wydry i Traszki. Pomóż im przeszukać TO piętro. Dani, weź Kasztanki na dół i przeszukajcie parter, Zed i Arch mogą wam pomóc. Ja zbiorę dorosłych i poszukamy na zewnątrz...

Nanosekundę później ja, Angela, Klara, Maja-Bella i Leta pędzimy na dół po schodach. Z jakiegoś powodu Stokrotka nie stosuje się do instrukcji wydanych przez babcię Viv i przebiega koło nas z prędkością światła.

– Wy się zajmijcie klasami i holem od TEJ strony korytarza – mówię do Kasztanków. – Ja, Zed i Arch przejdziemy się po pokojach po TEJ stronie...

Kiedy pozostałe dziewczynki skręcają w prawo, ja skręcam w lewo i widzę Stokrotkę, która znika w gabinecie Lulu.

Wtedy podjeżdża do nas Zed na wózku, już ubrany.

– Co się dzieje? Coś jest nie tak? – pyta.

Już mam mu odpowiedzieć, kiedy z głośników rozlega się głos:

– BUDIKI! GDZIE JESTEŚ? WYJDŹ, WYJDŹ, GDZIEKOLWIEK JESTEŚ! – Stokrotka skrzeczy tak, że uszy bolą. – BUU! TĘSKNIMY ZA TOBĄ!

Arch wystawia głowę z sypialni Zeda, a Miga, korzystając z okazji, wybiega na korytarz z głośnym

„Meeee!" i w całym budynku rozlega się odgłos kopyt stukających po posadzce.

– Czy tu zawsze jest tak głośno?! – krzyczy Arch w moim kierunku.

– Musimy znaleźć Budykę – mówię szybko. – Znów gdzieś zniknęła.

– To już wiemy – stwierdza Zed, krzywiąc się na dźwięk głosu Stokrotki, kontynuującej swoje alarmowe okrzyki. – Sprawdziłyście w sypialni Kasztanków? Budyka była tam wcześniej, prawda? Może chciała ją wypróbować?

– Przed chwilą pytałam Angelę, nie widziały jej tam – odpowiadam. – Ale Traszki i Wydry poszły tam jeszcze zobaczyć… Sprawdzają właśnie pierwsze drzwi.

– A domek na drzewie? – podpowiada Arch, podciągając opadającą piżamę. – Może tam poszła poszukać odrobiny ciszy i spokoju…

Gdy to mówi, w jego głosie słychać cień tęsknoty, i trudno go za to winić.

Zgryzia ma w sobie tyle ciszy i spokoju, co autostrada przebiegająca koło placu budowy.

– Babcia Viv i reszta dorosłych szukają w ogrodzie i w lesie – mówię. – My mamy sprawdzić jadalnię, kuchnię i pokoje na dole...

– A kto szuka na górze? – pyta Arch.

– No, nikt. Tam są tylko pokoje nauczycielek – odpowiadam. – Myślę, że zauważyłyby, gdyby któraś z uczennic spała w ich pościeli...

– Tak, ale warto spróbować, nie? – sugeruje Arch. Potargana grzywka nad jego czołem wygląda jak gigantyczny znak zapytania.

– Idźcie! – pogania Zed. – Ja mogę poszukać na dole! Jak tylko odbiorę Stokrotce ten głupi mikrofon.

Ja i Arch przeskakujemy po dwa stopnie naraz.

Wszędzie dookoła panuje hałas i słychać krzyki, ale przynajmniej Stokrotka została powstrzymana („**BUU! PROSZĘ, WYJDŹ** – eeej!").

Kiedy docieramy na ostatnie piętro, widzimy, że ktoś nas wyprzedził.

Siad leży na brzuchu, skamle i węszy jak opętany przy zamkniętych drzwiach prowadzących na korytarz.

– Czyj to pokój? – pyta Arch, oczekując odpowiedzi, że należy do jednej z nauczycielek. Ale ja wiem, że tak nie jest. Podchodzę krok bliżej i widzę, że zgodnie z informacją na bardzo starej mosiężnej tabliczce na drzwiach to pomieszczenie należy do „Bielizny Pościelowej".

Może i nie jestem takim mózgiem jak Budyka czy Leta, ale WIEM, że „bielizna pościelowa" to dawna nazwa na prześcieradła i takie rzeczy.

To musi być jedna z tych szafek używanych przez służbę. Zupełnie tak jak mówiła nam w środę Czajka, kiedy oprowadzałyśmy po szkole Budykę...

– Dobra robota, dobry piesek – mówię do Siada, łagodnie przesuwam go na bok nogą i otwieram drzwi.

A w środku? Tak jak mówiła Stokrotka, wygląda to trochę jak cela więzienna. Ale dla Budyki to najwyraźniej nowa, ukryta, jednoosobowa oaza spokoju. Bo oto i ona, śpiąca w najlepsze, po szyję przykryta kołdrą, jak mała wiewiórka.

– Wygląda na to, że nasza Złotowłosa znalazła wreszcie łóżko dla siebie. – Arch uśmiecha się do mnie.

Z tego uśmiechu wiem, że zabawny, roześmiany Arch wrócił. Wczorajszy zły humor? To już przeszłość, a dziś będzie w Zgryzi DOBRY dzień...

To nie jest po prostu dzień DOBRY – można powiedzieć, że jak do tej pory był nawet DOSKONAŁY.

Po całym zamieszaniu związanym z zaginięciem i odnalezieniem Budyki Lulu postanowiła, że to będzie piątek pod znakiem zabawy i że wszystkie lekcje będziemy mieć razem, zamiast dzielić się na klasy.

Najpierw więc zajęliśmy się budowaniem domku na drzewie, podczas którego zrobiłam śmieszne zdjęcie, jak Arch pręży muskuły z nogą opartą o pień. Wyglądał prawie jak prawdziwy drwal, pomijając ogromny plaster ze Świnką Peppą, który babcia Viv przykleiła mu wczoraj na podrapane kolano. Potem mieliśmy muzykę i Lulu przekonała Budykę, żeby zagrała dla nas specjalny recital na skrzypcach. Musieliśmy się wszyscy powstrzymywać od śmiechu i zatykać uszy rękami, bo dotarło do nas, że Budyka kompletnie nie odziedziczyła po rodzicach słuchu muzycznego...

Na obiad babcia Viv przygotowała kanapki z roześmianymi buźkami, które wprawiły WSZYSTKICH w dobry nastrój, oprócz Budyki, która oczywiście nie wiedziała, o co chodzi.

A teraz mamy ostatnią już dzisiaj lekcję – plastykę.

Panna Fabienne kazała nam przygotować obrazy z jedzenia. Kiedy my jesteśmy zajęci makaronem, ziarnkami pieprzu i klejem, panna Fabienne gra na gitarze i z zamkniętymi oczami śpiewa smutną piosenkę po francusku.

– Kolejne zwykłe popołudnie w Zgryzi? – żartuje sobie Arch, który właśnie przykleja ostatni kawałek makaronu do swojej imponującej makaronowej wieży Eiffla.

– No pewnie – odpowiadam zadowolona i przytakuję.

Zainspirowana piłką, której używaliśmy podczas nieudanej środowej sesji zapoznawczej, zrobiłam

Nemo z łuską z kukurydzy i mam zamiar zaraz po-
malować wszystko na niebiesko.

– A tobie jak idzie, Budyko?

Od chwili, gdy Arch obudził ją łagodnie w jej szaf-
ko-sypialni, Budyka **nie odstępuje go** praktycznie
na krok, jak jego własny, prywatny, mały zombie.
W tym momencie siedzi tak blisko, jak to tylko możliwe, tak blisko, że z trudem zmieściłaby się między
nimi kartka z jedzeniowym obrazkiem.

Budyka zdaje się w ogóle mnie nie słyszeć.

W każdym razie i tak podchodzę z drugiej strony, żeby zerknąć, co robi.

– Wow, niesamowite! – wyrywa mi się okrzyk, kiedy widzę, co Budyka zrobiła z makaronu jajecznego i rodzynków.

To wygląda jak NAPRAWDĘ dobra wersja sławnych *Słoneczników* Vincenta van Gogha.

– Mogę zrobić zdjęcie?

– Nie, dziękuję – mamrocze Budyka, przyciągając kartkę do siebie.

Entuzjastyczny uśmiech schodzi mi z twarzy i przypominam sobie, co Budyka powiedziała pierwszej nocy, kiedy zakradła się do naszego pokoju – że nie chce mieć przyjaciół. No, poza Archem, rzecz jasna...

BRZDĘĘĘĘK!!!

Panna Fabienne uderza w struny i wybrzmiewa ostatni, dramatyczny akord.

– *Alors, mes chers!* – woła. – Nadeszła ta chwila! Koniec lekcji! Początek weekendu! Bawcie się pysznie!

Słychać głośne „Hurra!" i hałas odsuwanych krzesełek, po czym wszyscy zbierają się do wyjścia.

– Gotowa na filmik? – mówi do mnie podekscytowany Arch.

– Jak najbardziej! Pójdę tylko na górę po plecak. Spotkajmy się za dwie minuty przy drzwiach wejściowych – proponuję i ruszam biegiem po plecak. Pewnie przy wejściu będzie też czekać Budyka, bo wątpię, żeby zamierzała stracić Archa z oczu.

Wreszcie powrót do robienia filmików... Ja i Arch przez cały dzień przerzucaliśmy się pomysłami. Jeszcze nie postanowiliśmy, jaki będzie główny temat, ale mam już wybraną lokalizację – teren wokół domku na drzewie, gdzie jest mnóstwo trocin, które wyglądają zupełnie jak małe wydmy. Może nakręcimy tam scenę jak z *Gwiezdnych wojen*.

Wbiegam do pokoju z prędkością błyskawicy, wyciągam spod łóżka torbę z naszymi aktorami i szybko zbiegam znów schodami w dół. Zaczepiam o poręcz na dole i prawie że wpadam na Zeda.

– Hej, zgadnij, co się stało – mówi i gestem przywołuje mnie bliżej, jakby chciał mi zdradzić sekret.

– Mama właśnie powiedziała, że skoro Budyce tak się podoba w tej szafie na górze, to w ramach niespodzianki przerobi ją na pokój.

– Super! – mówię i jestem przekonana, że Budyka z pewnością będzie zadowolona. Prawdopodobnie schowa się w środku i nie będzie miała ochoty wyjść. Będziemy mogli na zmianę przynosić jej zadania do zrobienia i posiłki.

– Toshio pomalował środek na biało i przyniósł materac, a twoja babcia układa właśnie książki i ubrania Budyki na półkach – mówi dalej Zed. – Czajka jest u mnie w pokoju, robimy instalację z ptakami do powieszenia na suficie. Chcesz nam pomóc?

– Świetny pomysł z tymi ptakami – mówię, przypomniawszy sobie, że ptaki, które Czajka namalowała na ścianie, to chyba jedyna rzecz, jaka podobała się Budyce, gdy oprowadzaliśmy ją po szkole. – Jasne, że pomogę!

W tym momencie, mimo że mam na ramieniu plecak z naszymi aktorami, dawniej zabawkami, całkowicie zapominam, że Arch jest w Zgryzi. I idę za Zedem.

W tej samej chwili dociera do mnie, że jestem obserwowana, a kiedy się odwracam, widzę Archa, który gapi się na mnie, stojąc pod drzwiami jadalni, a na

jego twarzy widać złość i rozczarowanie. Jego mały prywatny zombie też rzuca mi HARDE spojrzenie.

– Jeśli masz LEPSZE rzeczy do roboty niż nasz filmik, to nie ma sprawy, Dani. Idź śmiało! – wybucha Arch.

– Nie... Nie miałam na myśli... – zaprzeczam.

– Cóż, wygląda na to, że Zed jest teraz twoim najlepszym kumplem, więc spoko, bawcie się dobrze we dwójkę.

– Słuchaj, Arch, Zed mówił mi właśnie coś fajnego na temat...

– To MOJA wina – wchodzi mi pospiesznie w słowo Zed, żeby załagodzić sytuację. – Nie wiedziałem, że macie inne plany. Pomyślałem po prostu, że zobaczę, czy Dani chce...

– Nieważne – mówi bardzo głośno Arch, przerywając Zedowi w pół zdania. – Rób, co chcesz, Dani. Mam to gdzieś.

– Chcę nakręcić nasz filmik, Arch – protestuję, ściągając plecak i pokazując mu go na dowód.

– Nie, serio, nie musisz się przejmować – odpowiada Arch bezceremonialnie irytującym tonem, którego nigdy wcześniej u niego nie słyszałam. – Ktoś inny pomoże mi przy filmikach. Prawda, Budyko?

Budyka otwiera szeroko oczy i mu przytakuje.

Po swoich ostatnich słowach Arch wyrywa mi plecak z ręki i idzie przodem w kierunku drzwi, przez ogród i prosto do lasu.

Wow.

Kto by pomyślał, że trzy beztroskie słowa „Jasne, że pomogę!" mogą zmienić dzień DOBRY w dzień ZŁY, i to tak szybko?

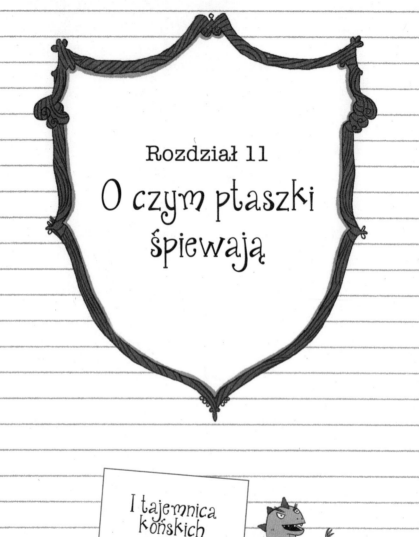

Rozdział 11

O czym ptaszki śpiewają

I tajemnica końskich ogonów...

Bez obowiązkowych lekcji soboty w Zgryzi są dosyć wyluzowane.

Niestety, ja TOTALNIE NIE JESTEM WYLUZO-WANA.

Wierciłam się i kręciłam w pościeli, nie mogąc zasnąć, i obudziłam się późno z bólem szyi.

– Cześć – mówię, wchodząc do kuchni do babci Viv, która w fartuchu założonym na pasiastą bluzkę i dżinsy patrzy przez okno, zmywając równocześnie naczynia.

– Cześć, złotko! – odpowiada babcia, wyjmując z wody ręce w różowych gumowych rękawicach, i daje mi dużego, mokrego buziaka.

– Gdzie są wszyscy? – pytam. Byłam wcześniej w jadalni, ale nic tam nie ma poza kilkoma pustymi talerzami i szklankami ze śniadania.

– Kasztanki chyba oglądają film w sali od plasty-ki; trojaczki bawią się na trawniku w kto-umie-naj-dłużej-stać-na-jednej-nodze, przynajmniej tak to wygląda; a Traszki chciały dziś zjeść śniadanie „jak sowy".

– To znaczy jak...? – upewniam się.

– To znaczy, że jedzą tosty z masłem orzechowym na drzewie – uściśla babcia Viv, wskazując ociekającym pianą palcem w gumowej rękawicy na wielki dąb rosnący przed kuchennym oknem. – A jeśli chodzi o pozostałych, to Czajka wyskoczyła z mamą do sklepu minibusem, a Zed gra na Xboxie z Toshiem.

Babcia Viv wpatruje się we mnie długo i intensywnie, zanim wypowie kolejne zdanie.

– Ale tak NAPRAWDĘ chyba pytasz mnie o Archa... Przykro mi, nie widziałam go – mówi. – Czy zdołaliście się wczoraj pogodzić?

– Nie – mówię, a głowa opada mi na blat. – Przerywał mi za każdym razem, jak próbowałam z nim pogadać.

– Wygląda na to, że całą uwagę poświęca Budyce... Myślę, że jest jej miło z tego powodu – zauważa babcia Viv.

– Tak, na pewno bardzo miło – mamroczę, choć babcia musi wiedzieć, że patrzenie, jak mój najlepszy kumpel spędzał **każdą** minutę wczorajszego dnia, robiąc filmiki ze swoim przybocznym zombie, dla mnie niekoniecznie było miłe.

Najpierw poszli do lasu. Po podwieczorku (który oczywiście zjedli razem, a nie ze wszystkimi) byli na górze, w kryjówce Budyki, gdzie nakręcili parę scen.

Ciągle sprawdzałam na telefonie, czy wrzucili coś na YouTube'a, ale nie.

Później, gdy razem z Czajką zapukałyśmy do nowiutkich drzwi Pościelowej Sypialni, Arch tylko wziął od nas ptasią instalację, którą zrobiliśmy dla Budyki, podziękował w jej imieniu i zamknął nam drzwi przed nosem.

– Chodzi o to, że Arch jest taki miły dla Budyki tylko po to, żeby się na mnie odegrać – mówię z goryczą.

– Jest zazdrosny o Zeda. Możesz w to uwierzyć?

– Spójrz na to inaczej, Dani – mówi babcia Viv, podając mi talerz jeszcze ciepłych, świeżo wyjętych z piekarnika ciasteczek. – Arch w tej chwili nie jest do końca sobą. Wydaje mu się, że stracił swoich rodziców, a widząc ciebie tak tutaj zadomowioną i zżytą z nowymi przyjaciółmi, może czuć, że ciebie też traci…

– Ale przecież nie traci ani mnie, ani swoich rodziców. Wszystko się po prostu… trochę pozmieniało – protestuję.

– W końcu sam też to zrozumie – mówi babcia Viv, przytakując jak stara, mądra, punkowa sowa. – Ale twój przyjaciel cierpi i może ci się wydawać trochę cichszy i...

– ZNIKNĘŁA! – Arch wpada do kuchni z iPadem w ręku, a w jego krzyku słychać przerażenie. – WŁAŚNIE BYŁEM NA GÓRZE W JEJ KRYJÓWCE, ALE BUDYKI TAM NIE MA!

– Tylko nie to! ZNOWU?! – woła babcia Viv, wznosząc oczy ku niebu.

– Dobra, zanim zaczniemy kolejną akcję poszukiwawczą, zastanówmy się chwilę. Arch, wczoraj wieczorem spędziłeś dużo czasu z Budyką. Mówiła coś? Odniosłeś wrażenie, jakby nie podobał jej się jej nowy pokój? Jakieś pomysły, gdzie mogłaby twoim zdaniem być?

– Ech, za wiele nie mówiła. Próbowałem ją wciągnąć w kręcenie filmików, ale tak naprawdę nic nie robiła.

Muszę przyznać, że wypowiadając te słowa, Arch posyła mi zawstydzone spojrzenie, które zdaje się mówić:

a) przykro mi, że byłem taki niemiły,

b) robienie filmików bez ciebie to żadna zabawa.

– No, a ta szafa, Arch? Myślisz, że podobało jej się tam? – ponawia pytanie babcia Viv.

– Ach, UWIELBIA to miejsce. Szczególnie te ptaki i inne rzeczy.

Arch posyła mi kolejne zawstydzone spojrzenie, jakby chciał powiedzieć:

a) te ptaki są naprawdę super,

b) przepraszam, że zamknąłem wam drzwi przed nosem.

– Naprawdę nic ci nie przychodzi do głowy, Arch? – Babcia próbuje coś jeszcze z niego wycisnąć.

– Nic. – Arch kręci głową. – Chociaż... chyba jest jedna rzecz. Zanim poszedłem spać, zostawiłem Budyce mojego iPada, żeby mogła sobie obejrzeć filmiki na naszym kanale, Dani. Zażartowałem, że skoro wstydzi się robić filmiki ZE mną, zawsze może mi zrobić niespodziankę i nakręcić WŁASNY...

– Odpal to, Arch – mówi babcia Viv, wskazując gestem na iPada, którego nadal trzyma w ręku.

Arch robi, co mu powiedziano, i odpala to. A w każdym razie dotyka klawisza ON.

I oto jest.

Jednominutowy filmik Budyki, którego akcja toczy się w szafie, będącej Pościelową Sypialnią.

W rolach głównych: dwa trznadle wykonane przez Czajkę.

– **Ćwiczysz codziennie grę na skrzypcach, Budyko?** – mówi jeden ptak grubym, dorosłym głosem. A przynajmniej tak dorosłym, jaki jest w stanie udawać podkładająca głos z offu Budyka.

– Nie – mówi mniejszy ptaszek wysokim, cieniutkim głosikiem. – Nie lubię grać na skrzypcach. Mówiłam ci, ale mnie nie słuchasz.

– Czeszesz codziennie swoje piękne włosy rano i wieczorem, Budyko?

– Nie. Nie lubię długich włosów. Ciągle się plączą i wpadają mi do talerza. Mówiłam ci, ale mnie nie słuchasz.

– Zadomowiłaś się już w szkole? Masz nowych przyjaciół, Budyko?

– Nie, bo nigdy nie miałam żadnych przyjaciół. Nie wiem, JAK być przyjaciółką.

Łapię się za głowę, kiedy słyszę to, co właśnie powiedział ten mały ptaszek.

Och nie... Tej nocy, kiedy znalazłam Budykę ukrytą pod kocem na łóżku Czajki, ŹLE usłyszałam, co mówiła.

Wydawało mi się, że swoim cichutkim głosikiem powiedziała, że nie chce mieć przyjaciół. Ale teraz zrozumiałam, że tak naprawdę powiedziała coś zupełnie innego i w sumie dużo smutniejszego.

Budyka wydawała się nam wszystkim w Zgryzi taka dziwna tylko dlatego, że nie wie, JAK się z kimś zaprzyjaźnić...

– No cóż, Budyko, nauka jest ważniejsza niż przyjaciele – mówi dalej grubszy, doroślejszy, chyba rodzicielski głos.

– Nie, nie jest! Jest tu jeden chłopiec, z którym bardzo bym chciała się zaprzyjaźnić, ale nie wiem, co mu powiedzieć. Jest TAKI miły i wygląda ZUPEŁNIE jak Marvin.

– Kim, u licha, jest Marvin, Budyko?

– To jedyna osoba, która mnie słuchała w domu. Tęsknię za nim i chcę się z nim zobaczyć.

– Nie bądź niemądra, Budyko. Nie możesz teraz wrócić do domu.

– Owszem, mogę! I przestań mówić do mnie „Budyko". Nikt nie zna tego imienia, a ja go nie lubię. Też już ci o tym mówiłam, ale nigdy nie słuchasz...

Mały ptaszek z pomocą palców Budyki podrywa się i wyfruwa z kadru – i na tym film się kończy.

Ja, babcia Viv i Arch patrzymy na siebie nawzajem, zdumieni tym, ile SŁÓW właśnie usłyszeliśmy z ust Budyki.

– Myślicie, że będzie próbowała wrócić do domu? Sama? – pytam, wyobrażając sobie, jaka mała byłaby Budyka w ogromnym, groźnym świecie.

– Chyba nie, co? – mówi babcia Viv.

– Myślę, że może jednak tak – odpowiadam i czuję, że ogarnia mnie panika. – Ale gdzie jest jej dom?

– Hej, czy Toshio nie powinien mieć w dokumentach adresu Budyki? – podsuwa Arch.

– Dobry pomysł! Możesz iść i go zapytać, Dani? Ja zaraz zadzwonię do Lulu i powiem jej, co się stało – mówi babcia Viv, skubiąc nagietki. – Ale jak ośmiolatka miałaby odbyć taką wyprawę? Nawet taka mądrala jak Budyka?

Nagle mam przebłysk z wczorajszego dnia i przypomina mi się, jak Budyka prawie weszła w sam środek przystanku, bo była pochłonięta lekturą Harry'ego Pottera.

– Myślę, że mogła pójść do miasteczka – oznajmiam. – Może będzie próbowała jechać autobusem? Słyszała, jak Arch opowiadał, że ON tak się tutaj dostał...

– Widzimy się za pięć minut przy Daisy – mówi babcia Viv, mając na myśli swój ukochany kamper. – Och, Dani, jak będziesz wracać od Toshia, czy możesz też wpaść do pani Ametyst i panny Fabienne powiedzieć im, że dziś przejmują stery?

– Pewnie! – krzyczę przez ramię i wybiegam w wielkim pośpiechu.

Dokładnie pięć minut później ja i Arch oraz babcia Viv i Siad pakujemy się do Daisy, mimo że jedno z nas nie zostało zaproszone na tę wyprawę. (Tak, Siad, o TOBIE mowa).

– Powodzenia! – krzyczy za nami Zed, kiedy zamykamy drzwi i zapinamy pasy.

– グッドラック! – krzyczy po japońsku Toshio, machając i kłaniając się na zmianę jak opętany.

Właśnie toczymy się powoli po wyboistym podjeździe, kiedy przed autem przebiega galopująca Stokrotka, przebrana za konia na pokazie. Ma nawet przyczepiony z tyłu długi jedwabisty ogon. Zaraz...

– Hej! – krzyczę do Stokrotki przez otwarte okno. – CO to jest? To, czego używasz zamiast ogona? Skąd to masz?

– Było na podłodze w łazience! ZNALEZIONE NIE KRADZIONE! – krzyczy Stokrotka, po czym

robi okrążenie wokół pomnika świętej Zgryzi i znika znowu za rogiem budynku szkoły.

– Zaraz, chyba nie myślisz, że to były…? – zaczyna Arch i robi się całkiem blady na twarzy.

– Mam nadzieję, że nie – mamroczę pod nosem.

– Trzymajcie się mocno! – woła babcia Viv i wciska gaz do dechy.

BRUUUUMMMM!

Rozdział 12

Do domu
i z powrotem

I spotkanie
z Marvinem...

Teraz wygląda na to, że możemy szukać łysej Budyki.

– Widzicie ją gdzieś? – pyta babcia Viv, wytężając wzrok, w miarę jak zbliżamy się do przystanku.

– Nie – mówi Arch, wyciągając głowę w kierunku budki. – Nikogo tam nie ma.

W tym momencie dostrzegam kogoś, kogo wcale nie mam ochoty widzieć.

Wrednego, szyderczo uśmiechniętego Spencera z miejscowej szkoły. Ale wygląda na to, że jest tu z zaskakująco uśmiechniętą, miło wyglądającą mamą, która ma zaróżowione policzki, bobasa w chuście i najprawdopodobniej ZEROWE pojęcie o tym, jaki okropny jest jej starszy syn...

Kiedy z trudem podjeżdżamy pod górkę, Spencer najpierw marszczy czoło na widok psychodelicznego kampera babci Viv, a następnie jego brwi zbiegają się, tworząc na czole literę V, kiedy dostrzega **mnie** w środku.

Okej, to prawda, że jest idiotą, ale może będzie mógł nam pomóc.

– Zatrzymajmy się na chwilę – mówię do babci i wychylam się przez okno.

– Co, dla TEGO gbura? – stęka babcia, która nie znosi Spencera.

– Tak, ale ten gbur wie, jak wygląda Budyka – wyjaśniam. – A w każdym razie jak wyglądała...

Na twarzy Spencera pojawia się niepokój, kiedy babcia Viv specjalnie skręca w jego stronę.

– Cześć! – wołam w jego kierunku, starając się przekrzyczeć pisk hamulców.

Nozdrza Spencera poruszają się i widać, ile trudu wkłada w powstrzymanie się od złośliwych komentarzy pod adresem kogoś ze Zgryzi.

Ale rzuca ukośne spojrzenia na swoją uśmiechniętą mamę i nic nie może zrobić.

– Eee, cześć – odpowiada niechętnie.

– Kto to, Spencie, słoneczko? – pyta go mama miłym głosem.

– Och, taka znajoma... Jest ze Zgry... Chodzi do Świętej Gryzeldy – bąka Spencer.

– Mam na imię Dani, a to jest Arch – mówię grzecznie, pokazując kciukiem mojego przyjaciela.

– A ja nazywam się Viv! – krzyczy babcia w kierunku mamy Spencera, machając do niej. – Pracuję w szkole i miałam już wcześniej przyjemność spotkać pani syna.

– Naprawdę? Jak uroczo! Zawsze miło mi poznać przyjaciół Spencera – mówi jego mama radosnym głosem, a bobas w chuście śmieje się i gaworzy.

Spencer wygląda tak, jakby zrobiło mu się niedobrze, kiedy jego mama nazywa nas ze Zgryzi jego przyjaciółmi.

– Hej, pamiętasz może tę nową dziewczynkę, która była z nami w czwartek? – pytam Spencera, bo nie mamy czasu do stracenia.

– Co? Tę kujonkę, to znaczy tę dziewczynkę z książką? – upewnia się.

– Tak, szukamy jej – mówię. – Nie widziałeś jej może gdzieś tu w miasteczku?

– Może – odpowiada Spencer, niezbyt chętny do podzielenia się informacją. Odwraca się i pokazuje palcem miejsce za pustym przystankiem. – To nie ona siedzi tam na ławce?

Aha! Przystanek zasłonił nam widok ławeczki, która stoi tuż za nim, i małej osóbki, która tam siedzi.

– Taaaak! Myślę, że to **ona!** – woła Arch, wytężając wzrok i wpatrując się w odległy zarys postaci.

– Ma pani naprawdę TAKIEGO grzecznego syna – mówi jeszcze babcia Viv do mamy Spencera, której twarz rozpromienia się dumą, a nasz van już mknie z powrotem na górkę.

W lusterku widzę, jak zdegustowany Spencer odprowadza nas wzrokiem. Ha! Założę się, że NIENAWIDZI sam siebie za to, że tak nam pomógł...

Jeśli chodzi o naszą małą uciekinierkę, to Budyka nie widzi, że nadjeżdżamy w jej kierunku, bo ma twarz ukrytą w dłoniach. Jej krótkie, chude nóżki i piękne długie włosy (tak! o dziwo, nadal je ma) sprawiają, że siedząc na tej ławeczce, wygląda jak na wpół otwarta futrzana parasolka, którą ktoś przypadkiem zostawił na przystanku.

– Budyko! – wołam do niej przez okno, a babcia podjeżdża bliżej.

– BUU! – krzyczy głośniej Arch, sięgając do drzwi i szarpiąc za klamkę, kiedy się wreszcie zatrzymujemy.

Słysząc głośno wypowiedzianą skróconą wersję swojego imienia, Budyka podnosi głowę. Jej twarz już nie jest pozbawiona wyrazu – jest zaróżowiona od płaczu, a jej szare oczy mają czerwone obwódki.

Ach, i włosy. Włosy Budyki nie tworzą już dwóch idealnie opadających, falujących zasłon. Zauważam, że z jednej strony ktoś obciął duże pasmo, zostawiając w tym miejscu niezgrabną, sterczącą

kępkę. Wygląda to tak, jakby sama zaczęła obcinać włosy i wystraszyła się, że może robi to źle.

– Wskakuj, kochanie! – woła do niej babcia.

Po chwili wahania Budyka robi to, o co prosi babcia, i siada koło mnie, a Arch przeskakuje na tylne siedzenie, robiąc dla niej więcej miejsca.

– Gniewasz się na mnie? – pyta Budyka swoim cichutkim głosikiem przypominającym popiskiwanie myszki.

– No cóż. Wiesz, że takie wyprawy na własną rękę nie są zbyt BEZPIECZNE, prawda, złotko? – karci ją łagodnie babcia Viv i równocześnie pokazuje mi gestem, żebym zapięła jej pasy.

– Ale Arch też tu przyjechał, żeby zobaczyć Dani! – szepcze Budyka na swoją obronę.

– A nie powinien był... Prawda, Arch?! – krzyczy babcia przez ramię do mojego przyjaciela.

Nie odpowiada od razu – myślę, że Siad, podniecony towarzystwem na tylnym siedzeniu, próbuje go zalizać na śmierć.

– Nie! – sapie Arch, próbując się uwolnić od ślinostwora.

– Ale powiem ci coś, Bu – mówi babcia Viv, patrząc prosto w oczy nadwornego zombie Archa. – Obejrzeliśmy twój filmik. I WIEMY, że bardzo chcesz pojechać do domu, żeby odwiedzić twojego przyjaciela Marvina. To niedaleko stąd. Więc może wybierzemy się na małą wycieczkę? Co ty na to?

Jasnoszare jak sierść husky oczy Budyki napełniają się łzami.

– T-t-t-ak, bardzo! – szlocha, a potem ukrywa twarz w moim podkoszulku.

Nie jestem pewna, co mogę zrobić poza głaskaniem Budyki po włosach i udawaniem, że jest moim psem...

Głaskanie – wiem to od zawsze – działa usypiająco na Siada.

I zgadnijcie co! Właśnie odkryłam, że działa TAK SAMO na zapłakane, roztrzęsione ośmiolatki.

Bu – bo ustaliliśmy, że tak będziemy ją od dzisiaj nazywać – śpi przez całą godzinę naszej wycieczki do jej domu, cicho pochrapując i śliniąc mi przy tym trochę koszulkę.

Po drodze babcia Viv zadzwoniła do Lulu przez zestaw głośnomówiący, żeby dać jej znać, że z Bu wszystko okej i jaki jest plan.

Po zakończonej rozmowie babcia Viv, Arch i ja próbujemy zgadnąć, KIM tak naprawdę jest Marvin. Arch myśli, że to były nauczyciel Budyki. Babcia Viv uważa, że to może być dzieciak z sąsiedztwa. Ja podejrzewam, że to może być coś mniej ożywionego, na przykład ukochany miś czy coś w tym rodzaju.

Kimkolwiek jest Marvin, jeśli wizyta u niego pozwoli Bu czuć się lepiej po powrocie do Zgryzi, to pieniądze wydane na benzynę i mokra plama na koszulce są tego warte.

– Wygląda na to, że jesteśmy – oznajmia babcia Viv, zatrzymując się przed olbrzymim domem, który można by spokojnie nazwać posiadłością.

Posiadłość wygląda na BARDZO dostojną, BARDZO starą i BARDZO porośniętą bluszczem i spokojnie można by tu nakręcić horror o zombie.

– Hej, Bu, już jesteśmy – mówię moim najłagodniejszym „jesteśmy-na-miejscu-ale-wcale-nie-jestem-do-niego-przekonana-bo-wygląda-dość-upiornie" głosem.

Bu przeciąga się, ziewa i zaspana mruga oczami, próbując się obudzić. Nagle, kiedy orientuje się, gdzie jest, w jej oczach pojawia się błysk, tak jakby gdzieś głęboko na dnie tliły się małe iskierki.

– Marvin! – mówi, uwalniając się od pasa.

– MARVIN! – woła, otwierając na całą szerokość drzwi kampera i wyskakując na chodnik.

– MARVIN! – krzyczy i jej głos brzmi jak głos normalnej osoby, kiedy patrząc w niebo, biegnie do ogrodu przed posępnie wyglądającym do-mem.

– Bu! – słychać nagle odpowiedź.

– Widzicie? OTO i on! – krzyczy z radości Bu, od-wracając się do nas, żeby nam pokazać swojego przyjaciela. – Czy nie wygląda ZUPEŁNIE jak Arch?

– BUU! – woła do niej jej najlepszy kumpel.

Nasza trójka w milczeniu patrzy na Marvina.

No cóż, tego ZUPEŁNIE żadne z nas się nie spo-dziewało...

Rozdział 13

Wierna kopia Archa

Oraz gdzie się podział jeden dzień?

– On tak NAPRAWDĘ nie wygląda zupełnie jak ja, prawda? – pyta Arch.

– Jesteście podobni jak dwie krople wody – podkreśla babcia, uśmiechając się szeroko, w drodze powrotnej do domu. Jesteśmy już na znajomej wiejskiej drodze, przy której właśnie wyłania się zniszczony znak, oznaczający, że za chwilę będziemy w Zgryzi.

– Dani? – pyta zdesperowany Arch.

– To ta grzywka – odpowiadam.

– Prawda? – mówi radośnie Bu, pokazując gołębia, który przycupnął wygodnie na jej kolanach.

– BUU! – grucha gołąb.

– Niemożliwe! – mówi Arch, wychylając się z tylnego siedzenia do przodu, żeby porównać w lusterku osłony przeciwsłonecznej siebie i ptaka.

Naprawdę WIDAĆ duże podobieństwo.

Wszystko przez te pióra na czole Marvina, o ile to, co mają ptaki, też nazywa się czołem.

U każdego normalnego, szanującego się gołębia te trzy piórka na krzyż powinny się układać do tyłu, porządnie przylegając do jego małej główki. Ale u Marvina jest inaczej – sterczą do przodu, tworząc fryzurę w stylu rockabilly.

– Gdybym miał moją bejsbolówkę, nawet byście nie zauważyły podobieństwa – mówi z naciskiem Arch, a w jego głosie słychać obawę, że rzeczywiście mógłby przypominać ptaka.

– No tak, ale co, gdyby Marvin miał taką samą miniaturową bejsbolówkę? – pytam, zadowolona, że mój kumpel dał się wkręcić.

– BUU! – przytakuje Marvin, gdy skręcamy na podjazd.

Bu uśmiecha się do swego podniebnego przyjaciela i przytula go do policzka.

W drodze powrotnej do Zgryzi dowiedzieliśmy się wszystkiego o jej wyjątkowym kumplu. Tak, Bu MÓWIŁA, i to wcale niemało, używając przy tym całej MASY słów. Nieźle, co?

W każdym razie wygląda na to, że Marvin regularnie lądował na parapecie okna jej samotnej jednoosobowej klasy. Kiedy surowa nauczycielka albo niecierpiący zwierząt rodzice nie patrzyli, Bu wyrzucała mu trochę resztek z posiłków.

Bardzo się martwiła o Marvina – utykał na jedną nogę. Nawet kiedy latał, nie było mu łatwo. Bu przygryzała wargi, obserwując jego zmagania z lokalnym gangiem kruków, które próbowały się go pozbyć ze swojego rewiru.

A potem, nie tak dawno temu, nadszedł dzień, w którym jej nauczycielka z wielkim żalem oznajmiła, że inna rodzina zaoferowała jej dużo WYŻSZĄ pensję za prywatne uczenie ich dziecka.

I wtedy jej rodzice natychmiast zaczęli przeglądać oferty szkół z internatem, i wybrali tę, która wyglądała na ABSOLUTNIE NAJLEPSZĄ (czyli nie najdroższą i bez listy oczekujących). Parę dni później rodzice spakowali Bu i jej walizkę i przywieźli do Zgryzi, a ona od tej pory umierała ze strachu o to, co się stanie z Marvinem.

– W każdym razie, Bu, kochanie – mówi babcia Viv w momencie, gdy wyrasta przed nami pomnik świętej Gryzi. – Pamiętaj, co ci powiedziałam: Marvin może wcale nie chcieć tu z nami zostać, niezależnie od tego, jak tu jest miło i jak bardzo będziesz o niego dbać. Więc nie smuć się, proszę, jeśli odfrunie, kiedy dotrzemy na miejsce...

– Wiem – mówi Bu normalnym głosem, patrząc obojętnie na pomnik świętej Zgryzi w dzisiejszej stylizacji, składającej się z klipsów, niebieskiego cienia do powiek i chrupek w kształcie hula-hoop wiszących na wszystkich jej kamiennych palcach. – Ale nawet jeśli postanowi odlecieć, to też będzie okej. Przynajmniej będzie wiedział, że go nie opuściłam. Nawet kiedy nie będziemy razem, będzie wiedział, że i tak go kocham.

Arch.

Arch i ja.

Arch i ja wymieniamy spojrzenia w lusterku, kiedy Bu to mówi.

W tej chwili wydaje się, że mówi o NAS, a nie o gołębiu z ptasim móżdżkiem (bez urazy, Marvin).

– Nawet jeśli jutro wrócisz do domu, nadal będziesz moim najlepszym kumplem – mówię do Archa, zanim stchórzę i słowa utkną mi w gardle.

– No właśnie... À propos powrotu Archa... – bąka pod nosem babcia Viv, kręcąc kierownicą i parkując obok znajomego granatowego forda focusa. – Czyżbyśmy byli w jakimś innym magicznym wymiarze czasoprzestrzeni i zgubili gdzieś po drodze jeden dzień?

O-ou...

Po radości i dąsach, po kłótni i pogodzeniu się dopiero teraz państwo Kamińscy NIE MOGĄ tak po prostu pojawić się dzień wcześniej i zabrać mojego najlepszego kumpla do domu.

NIEEEEEE!

Rozdział 14

Do widzenia i dzień dobry!

I ciasteczka przyjaźni...

Nadszedł czas pożegnania. Zatem stoimy tu wszyscy, cała szkoła, machając jak oszalali w kierunku samochodu Archa, gdy ten odjeżdża, podskakując po kamieniach na podjeździe, i wreszcie znika na końcu drogi.

Gołąb, który przysiadł na kamiennej głowie świętej Gryzi, także zaczyna machać skrzydłami w pożegnalnym geście... Ale kiedy strużka czegoś białego spływa po szyi Zgryzi, zdaję sobie sprawę, że Marvin po prostu robił kupę.

– No i pojechali – słyszę, jak mówi głos obok. – Wolałabyś, żeby zabrali mnie z sobą, Dani?

– Och, zamknij się, głupku – mamroczę pod nosem i wymierzam Archowi łokciem kuksańca pod żebra.

Ach tak, pani Kamińska i pan Kamiński wracają już do domu, ale Arch wcale **NIE**. Jego rodzice przyjechali tu dziś rano, żeby porozmawiać z Lulu. Żeby się dowiedzieć, czy zgodziłaby się zatrzymać tu Archa do końca roku, tak żeby mieli czas zobaczyć, co i jak.

– Oczywiście jeśli się zgodzisz, Arch – powiedziała pani Kamińska, gdy Arch dołączył do nich w gabinecie Lulu.

Ja, babcia Viv, Bu i Marvin czekaliśmy na korytarzu na zewnątrz, nastawiając uszu.

Kiedy usłyszeliśmy Archa krzyczącego głośne „TAAAAK!", też zaczęliśmy krzyczeć i skakać, jednym słowem, trochę nam odbiło.

Bu niechcący wypuściła Marvina, który wleciał do gabinetu i machał skrzydłami, gorączkowo próbując się stamtąd wydostać.

Wszyscy musieli się schować i siedzieć cicho, a Bu ruszyła za nim w pogoń, przez co przemowa Lulu o tym, jak bardzo miło będzie nam gościć Archa w Zgryzce, straciła trochę ze swej powagi.

– No proszę, cóż to był za ekscytujący poranek! – mówi teraz Lulu, klaszcząc w ręce i odwracając się do nas. – Mam nadzieję, że to już koniec niespodzianek. Jestem trochę zmęczona.

– Ekhem – chrząka Czajka i widzimy, że gestem wskazuje na małą poważną osóbkę, której szare oczy utkwione są w naszej dyrektorce.

O-ou.

Zanim państwo Kamińscy wyjechali, Lulu namówiła ich na małe oprowadzanie po szkole. Wtedy babcia Viv delikatnie pociągnęła za sobą Bu z Marvinem na rękach, żebyśmy ja i Arch mogli zostać wolnymi od wszelkich zombie i gołębi przewodnikami tej wycieczki. A co zrobiła tymczasem Bu?

ZWYCZAJNIE POZWOLIŁA KOMUŚ OBCIĄĆ SOBIE WŁOSY!

Rozglądam się w poszukiwaniu Stokrotki – to by było w jej stylu. Ale naczelna Traszka jest teraz zajęta karmieniem Migi naszyjnikami z tektury i wygląda przy tym dość niewinnie.

Może to w takim razie trojaczki? Im też często zdarza się coś zmajstrować. W poprzedni weekend postanowiły, że chcą mieć zwierzątko i że będzie to pszczoła. Próbowały więc przyciągnąć jedną, „pożyczając" miód z kuchni i się nim smarując.

Wtedy zauważam pewną rzecz. A w zasadzie dwie rzeczy.

Wymowny uśmieszek na twarzy babci Viv oraz parę nożyczek wystającą z tylnej kieszeni jej dżinsów.

– O niech mnie! – mówi Lulu, łapiąc oddech. – Jaka fantastyczna nowa fryzura! Bardzo mi się **podoba!**

Bu uśmiecha się z wyraźną ulgą i przeczesuje ręką swoje krótkie włosy z dłuższą grzywką.

– Prawda, że do niej pasuje? – mówi radośnie babcia Viv i bierze Bu za rękę. – A teraz może masz ochotę iść ze mną do kuchni i spróbować tych ciasteczek, które upiekłam rano **specjalnie** dla ciebie...

Na dźwięk słowa „ciasteczka" Stokrotka porzuca imienne naszyjniki i pędzi ku nam na łeb na szyję.

– MOGĘ TEŻ JEDNO DOSTAĆ?! – wydziera się.

Równocześnie, niewiele myśląc, łapie Bu za wolną rękę.

A Bu, również niewiele myśląc, się uśmiecha.

– Wygląda na to, że w końcu załapała, o co chodzi z tą przyjaźnią – mówię, gdy wszyscy pozostali wchodzą z powrotem do szkoły.

Na zewnątrz zostaliśmy już tylko ja, Arch, Czajka i Zed.

Czajka rysuje stopą w japonce kółka między kamykami na podjeździe. Zed przygryza wargę i nieśmiało spogląda na Archa. Hmmm... mimo szczęśliwego zakończenia wszystkich dzisiejszych perypetii między moimi przyjaciółmi nadal da się wyczuć dziwne napięcie.

Desperacko próbuję wymyślić, co by tu powiedzieć, żeby wszystko naprawić, ale Zed odzywa się pierwszy:

– Bardziej teraz przypominasz siebie – mówi do Archa, pokazując gestem zastępczą bejsbolówkę, którą przywieźli mu rodzice.

– Tak – mówi Arch. – I **czuję się** też bardziej sobą. A to znaczy, że jestem GŁODNY! Kto idzie ze mną do kuchni zwędzić trochę ciasteczek?

– Jaaaa! – wrzeszczy Zed, a Arch łapie za uchwyty wózka i porywa go z Zedem w środku. Jeśli w grę wchodzi kombinacja ciastek i zabawy, ja i Czajka też się na to piszemy. Kilka sekund później ślad po naszej paczce przyjaciół rozmywa się w powietrzu...

Pssst...
A może chcecie sprawdzić, co się wydarzy w kolejnej części tej serii?

SZKOŁA ZGRYZOTY

IM. ŚW. ~~ZGRYZOTY~~

DLA DZIEWCZĄT,

GREMLINÓW I NIEPROSZONYCH GOŚCI

Albo poznać kilka sekretów Karen i Becki?

Jakiś czas temu w Szkole dla Dziewcząt imienia Świętej Gryzeldy były:

a) sztywne reguły i nuda,

b) tłum złożony z co najmniej stu uczennic,

c) same dziewczynki.

Teraz jest tu:

a) superzabawa i mały chaos,

b) jedynie 22 uczniów (ups),

c) w tym dwóch chłopców.

W tej sekundzie wyjaśniam, skąd się tu wziął ten ostatni chłopiec.

|||||||!!!

Uf, ten pisk podniecenia w odpowiedzi na moje wieści dosłownie przewierca mi uszy. I pochodzi aż z bieguna południowego!

Osoba, która jest odpowiedzialna za ten odgłos, to malutka figurka na wyświetlaczu mojego telefonu, zakutana w kurtkę wyglądającą bardziej jak kołdra, w solidnych goglach chroniących oczy przed oślepiającą jasnością Antarktyki.

Przez te śmieszne wielkie gogle i kaptur wykończony futerkiem ledwo można dostrzec, że to moja własna mama.

– Niezła niespodzianka, co? – mówię i uśmiecham się do wyświetlacza, zdradziwszy mamie sekret.

Mój telefon jest oparty o zestaw złożony z solniczki i pieprzniczki, stojący na lepiącym się po śniadaniu stole w szkolnej jadalni. Zgryzia – bo tak (prawie) wszyscy nazywamy naszą szkołę – jest ukryta w małej, zielonej angielskiej wsi, bardzo, BARDZO daleko od mroźnej Antarktyki. Za mamą widzę błękitne niebo i ogromne połacie oślepiająco białego śniegu. Za mną w tę niedzielę widać akurat pomalowane na kremowy kolor ściany, pokryte błyszczącym od tłuszczu szlaczkiem małych odcisków palców.

Och, teraz mama może też zobaczyć parę rogów – słyszę za plecami stukot kopytek naszej szkolnej kozy Migi, która właśnie przechodzi za moim krzesłem...

Ale mówiliśmy o niespodziankach. Na dźwięk wydanego przez mamę wrzasku „niespodzianka!" pojawia się na ekranie koło mnie i macha do niej.

– Dzień dobry, pani Dexter! – mówi mój najlepszy kumpel Arch.

– Arch Kamiński? Co ty tam robisz, u licha? – pyta mama, śmiejąc się skołowana, trochę oszołomiona i przerażona. – Przyjechałeś w odwiedziny?

– Nie – mówi Arch. – Zostaję w Zgryzce do końca roku; Dani tak za mną tęskniła, że błagała mnie, żebym przyjechał!

Hm, to nie do końca jest prawda, ale i tak jestem niesamowicie zadowolona, że mój kumpel tu jest i dotrzymuje mi towarzystwa wraz z innym chłopcem z naszej szkoły – kochanym i trochę nieśmiałym Zedem.

My, razem z Czajką, siostrą Zeda, będącą jego zupełnym przeciwieństwem, tworzymy klasę Grzybków. Jesteśmy najstarszymi uczennicami w szkole, bo mamy jedenaście lat.

– Nie mogę w to uwierzyć – mówi mama, uderzając się w czoło grubą watowaną rękawicą z głuchym pacnięciem. – Najpierw wprowadzili się babcia i Siad, Dani, a teraz Arch też tam jest?

Wiecie, byłam w NAPRAWDĘ KIEPSKIM NASTROJU, kiedy moja mama zoolożka podrzuciła mnie parę tygodni temu do Zgryzi i pojechała na trzymiesięczną ekspedycję naukową, której celem jest badanie pingwinów. Wcale nie chciałam być w szkole z internatem. Nie chciałam się rozstawać z Archem. Nie chciałam się też rozstawać z moją cudownie zwariowaną babcią Viv i stukniętym psem Siadem.

Ale ostatecznie niezbyt długo za nimi obojgiem tęskniłam. Któregoś dnia po spacerze w pobliskim lesie kilka naszych młodszych uczennic było przekonanych, że natknęły się na chatkę czerwonowłosej czarownicy. Jak się okazało, była nią babcia Viv, która wraz z Siadem przyjechała mnie szpiegować, a raczej sprawdzić, czy wszystko u mnie w porządku.

Nie miała się o co martwić, bo wszystko było w porządku.

Ale jest jeszcze lepiej, odkąd Lulu, nasza dyrektorka, zaproponowała babci pracę kucharki z zakwaterowaniem, pomocy domowej, opowiadaczki bajek na dobranoc i tak dalej, i tak dalej w Zgryzi, z uwagi na brak personelu.

Mamy też małe braki, jeśli chodzi o uczniów, więc kiedy znienacka pojawił się Arch, Lulu nie miała najmniejszego problemu z przyjęciem kolejnego ucznia.

Tym sposobem ja, babcia Viv, Siad i Arch znów jesteśmy razem.

Przez ostatnie parę dni MIAŁAM zamiar napisać do mamy i powiedzieć jej, że Arch dołączył do klubu oraz o tym, że jego rodzice zgodzili się na to, ale potem uznałam, że lepiej będzie poczekać do naszej dzisiejszej zaplanowanej wideorozmowy.

Dzięki temu było miejsce na wielkie „TA-DAM!". A wiadomo, że każdy lubi „TA-DAM!", nieprawdaż?

– Och, cześć... Kto to jest? – pyta nagle mama, przysuwając się trochę bliżej do telefonu.

Mama najwyraźniej zauważyła coś, czego ja nie widzę.

Szybko się odwracam i dostrzegam Nową Dziewczynkę, która bez słowa pojawiła się za mną i Archem.

Nowa Dziewczynka przyjechała do Zgryzi w ubiegłym tygodniu, podobnie jak Arch, a jej pojawienie się było dość nieoczekiwane.

W każdym razie podrzucili ją tu rodzice wypasionym samochodem. Co do Archa... cóż, on wybrał zgoła inne środki transportu: trzy autobusy, przeprawę przez bagno, ucieczkę przed krową i przejście przez najeżony kolcami żywopłot.

– Bu! – mówi Nowa Dziewczynka w odpowiedzi na pytanie mamy.

Futrzany kaptur mamy przekrzywia się na jedną stronę, jakby zastanawiała się, dlaczego ta mała, nieznajoma, oddalona o szesnaście tysięcy kilometrów osóbka chce ją przestraszyć.

– Mamo, to Budyka Featherton-Snipe – dokonuję szybko prezentacji – ale woli, jak się do niej mówi Bu.

IIIIIII!!!

Okej, tym razem to NIE moja mama piszczy, to pisk Bu z powodzeniem atakuje moje bębenki.

– Ha! NIE WIERZĘ! Zobacz, Dani! – wydziera się Arch, pokazując palcem wyświetlacz.

Próbując przyzwyczaić się do dzwonienia w uchu, zauważam, że mama na chwilę zniknęła, bo na wizji po jej stronie pojawiła się wielka czarno-biała głowa z parą okrągłych, żółtych, wpatrzonych w nas oczu.

– **PINGWIN!** – sapie z podniecenia Bu, która ma kompletnego świra na punkcie wszystkiego, co posiada skrzydła i pióra.

– Sio! – słyszę krzyk mamy, kiedy pingwin próbuje stukać dziobem w ekran jej telefonu. – Zostaw to w spokoju, ty ciekawski, stary...

Telefon się wyłącza, połączenie zerwane.

Oho! Wygląda na to, że mama padła ofiarą złodzieja telefonów...

Karen McCombie

Karen McCombie jest autorką tryliarda* bestsellerowych książek dla dzieci, młodzieży i nastolatków, takich jak uwielbiana seria *Świat Ally* i nieco zwariowana *Ty, Ja i To Coś*, jak również opowiadań *Dziewczynka, której nie było* i *Szepty w Wilderwood Hall*.

Urodzona w Szkocji, mieszka teraz w północnym Londynie ze swoim bardzo szkockim mężem Tomem, ukochanym słoneczkiem – córką Milly i pięknym, lecz lubiącym gryźć kotem Dizzym.

Karen kocha swoją pracę, ale zupełnie nie jest w stanie usiedzieć w jednym miejscu. Dlatego regularnie pakuje laptopa, opuszcza Biuro nr 1 (malutką sypialnię), a następnie odbywa żwawy spacer do Biura nr 2 (kawiarni przy lokalnym centrum ogrodniczym).

Jej hobby to głaskanie przypadkowych kotów na ulicach, uśmiechanie się do psów i jedzenie czipsów.

Jej ględzenie o książkach, kotach i innych dyrdymałkach możecie znaleźć na:

www.karenmccombie.com
Facebook: KarenMcCombieAuthor
Instagram: @karenmccombie
Twitter: @KarenMcCombie

* Okej, ponad osiemdziesięciu, jeśli chodzi o ścisłość.

- **Co jest najlepsze w byciu pisarką?**
  Och, wizyty w szkołach, gdzie mogę poznać świetnych prawdziwych ludzi, zamiast cały dzień gapić się w komputer.
- **Druga najlepsza rzecz w byciu pisarką?**
  Jedzenie ciasta, kiedy pracuję w Biurze nr 2 (czyli kawiarni przy lokalnym centrum ogrodniczym).
- **Jakie jest najlepsze pytanie, na które zdarzyło ci się odpowiedzieć podczas spotkań?**
  „Jaki jest twój ulubiony smak czipsów?"
  Moja odpowiedź brzmi: „KAŻDE czipsy są dobre, ale solone zawsze wygrywają...".
- **Zdradź nam jakiś sekret!**
  W pierwszych latach mojej szkolnej kariery byłam kiepska w czytaniu i pisaniu z powodu niezdiagnozowanych problemów ze słuchem. Od kiedy skończyłam pięć czy sześć lat, głównie siedziałam w klasie, zastanawiając się, co się wokół mnie dzieje. Potrzebna była operacja, a potem długie nadrabianie zaległości, zanim nauczyłam się porządnie czytać i pisać.
- **Ulubiony sposób marnowania czasu?**
  Tańczenie, gdy tylko nadarza się okazja, co zawsze powoduje, że moja córka się mnie wstydzi (jakby TO miało mnie powstrzymać!).

Becka Moor

Becka Moor jest autorką ilustracji i pochodzi z Manchesteru, gdzie mówią na przykład „co nie" albo „ale klawe", jak coś jest naprawdę dobre. Udało jej się uciec z Północy na parę lat i wylądowała w Walii (która, tak się składa, też jest na północy), gdzie studiowała tworzenie ilustracji dla dzieci na Glyndwr University. Kiedy wróciła do domu, otworzyła małe domowe biuro, w którym pracuje nad różnymi książkami dla dzieci, na przykład nad serią *Violet i Perła Orientu* czy książką obrazkową *Trzy świnki ninja*. Kiedy nie jest zajęta rysowaniem albo zastanawianiem się, jak najlepiej przedstawić kupę smoka, można ją spotkać, gdy gania dookoła domu swoje dwa domagające się głaskania koty albo gdy robi w różnych miejscach bałagan.

Więcej niepotrzebnych nikomu informacji możecie znaleźć w mrocznych czeluściach internetu:

www.beckamoor.com
Twitter: @BeckaMoor
Blog: www.becka-moor.tumblr.com

Parę faktów o ilustratorce:

- **Co jest najlepsze w byciu ilustratorką?**
  Rysowanie przez cały dzień!
- **Druga najlepsza rzecz w byciu ilustratorką?**
  Możliwość czytania świetnych historii i wyobrażania sobie, jak mogliby wyglądać ich bohaterowie.
- **Powiedz nam coś dziwnego!**
  Moja kolekcja kubków jest tak liczna, że mogę w tym samym czasie śmiało zaprosić na herbatę cały świat, pod warunkiem że ktoś dostarczy ciastka! Ja poproszę herbatniki owsiane, najlepiej pięć.
- **Ulubiony sposób marnowania czasu?**
  Pieczenie. To strata czasu, ponieważ nie potrafię piec i wszystko, co wychodzi z mojego pieca, jest zazwyczaj niejadalne!

Dowiedz się, jak to się stało, że Dani
wylądowała w Zgryzi...

SZKOŁA ZGRYZOTY IM. ŚW. ~~OSPRZEDY~~ DLA DZIEWCZĄT, KÓZ I ZABŁĄKANYCH CHŁOPCÓW

KAREN McCOMBIE

ILUSTRACJE BECKA MOOR

ZIELONA SOWA